Berlin & Sanssouci

Berlin

& Sanssouci

Fotografiert von Pavel Šticha
Texte von Kurt Geisler

Dieser Bildband mit 47 eindrucksvollen Farbfotos über das alte und neue Berlin ist eine Einladung an Menschen überall auf der Welt, einmal die deutsche Hauptstadt zu besuchen. Für jene, die bereits die Metropole an der Spree kennen gelernt haben, dürften die Motive Erinnerungen bringen. An interessante, erlebnisreiche und vielleicht auch schöne und unvergessliche Stunden zwischen Funkturm und Fernsehturm. Sicherlich ist der Fotoband auch ein willkommenes Geschenk für Verwandte und Freunde außerhalb der Stadt – und für Interessierte in der Stadt, eben für Berliner.

Was zeigen die 47 Aufnahmen? Ausdrücklich liegt kein klassischer Stadtführer vor, mit Daten der Berliner Geschichte, mit Angaben über Theaterleben, Verkehr, Wirtschaft, Hotels, Gastronomie und die Schätze der Museen. Nein, hier soll mit den Augen gebummelt werden zu den wieder aufgebauten Perlen von Spree-Athen mit ihrer klassizistischen Würde, zu den hoch aufragenden Bauten des neuen Berlin, zu Beispielen der Architektur von Morgen, zu Schlössern in Berlin und natürlich in Potsdam. Früher, im alten West-Berlin, war der Spaziergang über den Kurfürstendamm – von den Berlinern nur Ku´damm genannt – Pflicht eines jeden Besuchers. Heute lässt kein Tourist die einstige und neue Prachtstraße Unter den Linden aus, über die es im Reiseführer von 1912 heißt, die „1,3 Kilometer lange und 60 Meter breite Straße sei seit alters der Stolz Berlins".

Etwas abseits der Lindenstraße, die im Jahr 2000 ihren 350. Geburtstag beging, die in ihrem östlichen Teil mit Zeughaus, Neue Wache, Humboldt-Universität, Bibliothek, Staatsoper, Kronprinzen- und Prinzessinnenpalais sowie mit der Kommandantur so aussieht wie vor 150 Jahren, warten zwei weitere Glanzpunkte. Es sind die weltberühmte Museumsinsel und der Gendarmenmarkt, der schönste und mit architektonischen Juwelen verzierte Platz der Hauptstadt. Kein Besucher wird die Reichstagskuppel (auch wenn man meist lange anstehen muss) auslassen, kein Tourist wird versäumen, sich in 40 Sekunden mit dem Schnellaufzug in die Aussichtsterrasse des Fernsehturms in 203 Meter Höhe empor sausen zu lassen.

Dann der Potsdamer Platz. Eine Legende. Im Jahr 1925 bimmelten stündlich 600 Straßenbahnen über den Platz – „mit dem Überschreiten warte man, bis vom Wachtkommando das Zeichen gegeben ist", hieß es im kaiserlichen Berlin. Heute steht wieder die alte, 1924 erstmalig leuchtende Verkehrsampel als reine Attraktion auf dem Platz, der umgeben ist von Hochhäusern und der Sony Plaza. Wer meint, die Stadt sei nicht zum Schlafen da, geht oder fährt zu den Hackeschen Höfen, wo Jung und Alt, Arm und Reich auf Tuchfühlung unterwegs sind.

Berlin, das ist eine immergrüne Stadt zu jeder Jahreszeit – auch im Winter grün, weil es in den fünf großen Waldgebieten so viele Kiefern gibt. Dort streifen im Frühjahr mindestens 3.000 fast zahme Wildschweine durch das Revier, garantiert kein Försterlatein. Vor jeden Straßenbaum wollte sich vor Jahren schützend ein Bausenator stellen. Er müsste heute vor mehr als 400.000 Linden, Platanen und Eichen Aufstellung nehmen. Zu alledem passt die Bemerkung des französischen Dichters Jean Giraudoux: „Berlin ist keine Gartenstadt, Berlin ist ein Garten."

Der „schönste Vorort" Berlins, die historische Residenz – und Garnisonstadt Potsdam, schließt den Bilder-Bummel. Am Ende lädt Friedrich II., genannt der Große, mit einem herzlichen „Bonjour" dazu ein, besonders jene Schönheiten zu bestaunen, die er während seiner Herrschaft (1740-86) auf kargem märkischen Boden bauen ließ. Mit dem Schloß Sanssouci als Höhepunkt, heute Weltkulturerbe und Besuchermagnet. „Merci", Alter Fritz!

Kurt Geisler

The forty-seven impressive colour images of the old and new Berlin in this picture book are an invitation to people around the world to visit the German capital. When looking at these pictures, travellers who have already seen the big city on the river Spree might remember their first visit and share fond memories of fascinating, exciting and probably wonderful and unforgettable hours between the Funkturm (radio tower) and the Fernsehturm (TV tower). Most certainly, the book is also a great gift to relatives and friends living abroad, or anybody interested in the city – even the Berliners themselves.

So what can we see on these forty-seven photographs? This book deliberately was not designed as a traditional travel guidebook, a book that would inform its readers about Berlin's history, the theatre scene, transportation, business life, hotels, and restaurants as well as the treasures hidden in the city's museums. No, this book is inviting you to take a stroll through the city by looking at the rebuilt jewels of the famous "Spree-Athen," as Berlin has often been dubbed: From the proud, classicist monuments, the palaces in Berlin and Potsdam, to the soaring architecture of the modern Berlin and showcases of futuristic designs.

Before the wall came down, at the time of good old Western Berlin, a stroll down Kurfürstendamm (which is affectionately called "Ku'damm" by the Berliners) was a must for any visitor. Today, no tourist will miss a walk on the historic grand boulevard Unter den Linden, which was described in a Berlin travel guidebook of 1912 as a "1,3 kilometres long and 60 metres wide street that has always been the pride of Berlin."

In its eastern section, the "Linden street," which celebrated its 200th anniversary in 2000, just looks the way it was designed 150 years ago – thanks to the now restored, Zeughaus (Armory), Neue Wache (New Guardhouse), Humboldt-Universität (Humboldt University), Bibliothek (Library), Staatsoper (State Opera), Kronprinzen- und Prinzessinnenpalais (Crown Princes' and Princesses' Palaces) as well as the Kommandantur (City Guardhouse). Not far away are two other highlights; the world-famous Museum Island, and the Gendarmenmarkt, Berlin's most beautiful square with some real architectural gems. No tourist will forget to visit the Reichstag's cupola (despite the long lines), and any tourist will enjoy the incredibly fast, 40 second elevator ride to the observation deck at the Fernsehturm, the TV tower, 203 metres above the ground!

And then, finally, there is the Potsdamer Platz awaiting its visitors – a truly legendary square. In 1925 there were 600 trams crossing the square every hour, back then, it was recommended to "wait crossing the street until the police officer has given his sign." Today, the old traffic light dating back to 1924 is blinking once again, even though it is just a replica attraction amidst the high rises and the Sony Center. If you believe in the saying that this city never sleeps, you should head to the Hackesche Höfe, where old and young, rich and poor mingle all night long. Berlin is a green city, even in winter, because there are so many pines in the five wooded areas. In spring, there are at least 3,000 tame wild boars roaming the forests. A couple of years ago, the city minister for construction wanted to position himself in front of each and every street tree to preserve it. Well, today he would have to stand in front of 400,000 linden trees, planes, and oaks. Appropriately enough, French poet Jean Giraudoux once quipped, "Berlin is not a garden city, but a garden in itself."

Berlin's "most beautiful suburb," the historic and royal residence town of Potsdam, is the grand finale of any sightseeing tour. At last, Frederick II., "the Great," is inviting you with a warm "bonjour" to admire all the stunning monuments constructed during his reign (1740-86) on the barren Mark Brandenburg soil. The Palace of Sanssouci is the highlight, protected as a UNESCO world heritage, and a real visitor draw. "Merci," good old Fritz!

Kurt Geisler

Ce livre de photographies, comportant 47 prises de vue en couleur impressionnantes de l'ancien et du nouveau Berlin, est une invitation pour tous les gens du monde à rendre visite à la capitale allemande. Pour ceux qui connaissent d'ores et déjà cette métropole en bordure de la Spree, ces motifs devraient leur rappeler certains souvenirs, les heures intéressantes, pleines de surprises, peut-être même belles et inoubliables qu'ils ont passé entre la tour de la radio « Funkturm » et celle de la télévision « Fernsehturm ». Ce livre de photographies peut aussi faire l'objet d'un cadeau à un ami ou un parent vivant hors de la ville – et est également destiné à quiconque s'intéressant à la ville, même à un berlinois.

Que montrent les 47 prises de vue ? Ce n'est pas un guide classique comportant des dates historiques avec des indications concernant la vie du théâtre, la circulation, l'économie, les hôtels, la gastronomie ou les trésors renfermés dans les musées. Non, c'est pour satisfaire une promenade avec les yeux menant aux différents points d'intérêt restaurés, allant de l'Athènes de la Spree, se tenant dans une fière attitude du classicisme, jusqu'aux bâtiments dominants du nouveau Berlin en passant par les exemples de l'architecture de demain, les châteaux de Berlin et, il en va de soi, de Potsdam. Avant, la promenade menait sur le Kurfürstendamm, dans l'ancien Berlin-Ouest – appelé Ku'damm par les berlinois – un « must » pour les visiteurs. De nos jours, aucun touriste ne laisse de côté l'ancienne et la nouvelle splendide avenue de Berlin « Unter den Linden » concernant laquelle on pouvait lire dans le guide de 1912 que « cette avenue d'une longueur de 1,3 kilomètres et de 60 mètres de large était la fierté de Berlin ».

Deux autres attractions touristiques importantes attendent quelque peu en retrait de la Lindenstraße qui a fêté son 350ème anniversaire en 2000 et dont l'aspect n'a pas changé depuis 150 ans, sur sa partie Est avec la Zeughaus, la Neue Wache, l'Université Humboldt, la Bibliothèque, l'Opéra, le Palais du Prince héritier, celui des princesses ainsi que la commandanture. Ce sont l'île des Musées et la Place du Gendarmenmarkt connus dans le monde entier, cette dernière étant la plus belle place de Berlin grâce à ses joyaux de l'architecture. Aucun des visiteurs de la ville ne manquera l'occasion de voir la coupole du Reichstag (même s'il faut y faire une longue queue), aucun touriste ne se refusera le plaisir de monter en seulement 40 secondes sur la plate-forme de la tour de la télévision haute de 203 mètres et dominant toute la ville. Puis vient la place « Potsdamer Platz », une légende. En 1925, 600 tramways par heures traversent cette place – « pour traverser il faut attendre que le commandant de garde donne le signal » disait-on du temps de l'empereur. Aujourd'hui, le premier feu qui ait fonctionné en 1924 se trouve encore là, à titre d'attraction, entouré de tours et de la Sony Plaza. Quiconque pense que la ville n'est pas faite pour dormir se rend aux Hackeschen Höfen, des arrières cours où jeunes et vieux, pauvres et riches se retrouvent coude à coude.

Berlin, une ville toujours verte quelle que soit la saison – même en hiver, car dans ses cinq principales forêts on y trouve de nombreux pins. Dans ces forêts, on peut rencontrer, au printemps, plus de 3000 sangliers qui se laissent approcher. Il y a de nombreuses années, le ministre de l'urbanisme voulait protéger chacun des arbres longeant les rues de la ville. Aujourd'hui, il devrait protéger plus de 400 000 tilleuls, platanes, chênes. De plus, la remarque faite par l'écrivain français Jean Giraudoux correspond tout à fait à cette image : « Berlin n'est pas une cité-jardin, Berlin est un jardin ».

La plus belle banlieue de Berlin, la ville résidentielle historique, également ville de garnison, Potsdam, est aussi incluse dans cette promenade en image. Enfin, Frédéric II, appelé le Grand, invite avec son bonjour accueillant à visiter les plus belles bâtisses qui ont été construites lors de son règne de 1740 à 1786 sur le pauvre sol sablonneux de la Mark brandebourgeoise. Le plus beau de ces édifices est le château de Sanssouci , un des points d'attraction principaux, aujourd'hui placé sous la protection de l'UNESCO. « Merci, Alter Fritz ! » comme les allemands aiment appeler Frédéric le Grand.

Kurt Geisler

Este volumen de fotografías con 47 láminas a todo color sobre motivos del antiguo y el nuevo Berlín es una generosa invitación a todos para que visiten y admiren la capital alemana. Para aquellos que ya han tenido la oportunidad de conocer la ciudad del Spree, sirvan estas ilustraciones como recuerdo de su gira por los interesantes y vistosos monumentos y paisajes, tal vez incomparables, que les proporcionaron horas inolvidables entre las torres de la radio y la televisión. Este mismo álbum puede ser para algunos un valioso regalo con el que obsequiar a amigos y parientes que aún no conocen las maravillas de esta ciudad, incluso si son berlineses.

¿Qué muestran las 47 reproducciones a todo color? No se trata exactamente de una guía de la ciudad que cuenta los antecedentes históricos, con noticias pintorescas, sus espectáculos, transportes, economía, hostelería y los muchos tesoros que albergan los museos berlineses. No, aquí hemos preferido recorrer con la vista las joyas reconstruidas de la Atenas del Spree, con toda su dignidad clásica, y embelesarnos ante las modernísimas construcciones del nuevo Berlín, ejemplos de la arquitectura del mañana, o admirar las estancias palaciegas de la capital y de la cercana Postdam. En el anterior Berlín Occidental, el del muro, la visita se reducía bastante y lo obligado era pasear por el Kurfürstendamm, molesta palabra que los berlineses reducen a Ku´damm. Hoy a nadie se le ocurriría dejar fuera de este itinerario turístico la avenida Unter den Linden (Bajo los Tilos), de la que ya una antigua guía de la ciudad decía: "avenida de 1,3 kilómetros de longitud y 60 metros de anchura que es desde siempre el orgullo de Berlín."

Dos otras maravillas nos aguardan en las cercanías de la calle de los tilos, que celebró en el año 2000 su 350 aniversario y que en su parte oriental está jalonada de monumentos admirables como la Armería Real, la Neue Wache, la Universidad Humboldt, Biblioteca, Opera del Estado, Palacios del príncipe y de las princesas y la Comandancia, monumentos todos ellos que han conservado el mismo aspecto que hace 150 años, nos referimos a la famosa Isla de los Museos y el Gendarmenmarkt. Esta suntuosa plaza está plagada de joyas arquitectónicas que dan extraordinario valor artístico-ornamental a la capital.

Y ningún viajero dejará de admirar la nueva cúpula del Reichtag (aunque tenga que hacer cola para entrar), ni turista alguno se perderá las vistas que se contemplan desde el mirador de la torre de TV a 203 metros de altura. Sólo se necesitan 40 segundos para "catapultarse" hacia los cielos en el rápido ascensor.

Viene luego la Postdamer Platz. Toda una leyenda. En 1925 eran 600 los tranvías que surcaban la plaza. "Para atravesarla hay que esperar a la señal que da el farol que la custodia" se decía en el Berlín imperial. Vuelve a estar en su sitio el semáforo que iluminaba y regulaba el intenso tráfico ya en 1924. Hoy es una nostálgica atracción más de esta plaza rodeada de modernos rascacielos y el Sony Plaza. Para los que dicen que la noche no es para dormir, lo más recomendable es que tomen el camino de los Patios de Hackeschen, en los que todo el mundo se agita en el trasiego de una fiesta luminosa que parece no acabar nunca.

Berlín es una ciudad siempre verde, en cualquier época del año. Nuestro invierno es verde porque las cinco zonas boscosas que lo rodean están plagadas de abetos y coníferas. En estos parajes se solazan 3.000 jabalíes casi domesticados, eso dicen los guardianes que cuidan de la floresta. Años ha, delante de cada árbol plantado en las calles quería hacer guardia un senador del parlamento berlinés para protegerlo. Hoy deberíamos tener miles de senadores, pues existen esparcidos por las calles y avenidas de la ciudad más de 400.000 tilos, plátanos y robles. Todo esto concuerda un poco con la apreciación del escritor y poeta francés Jean Giraudoux: "Berlín no es una ciudad-jardín, Berlín es un jardín".

El "suburbio más exquisito" de Berlín, la residencia histórica y ciudad fortín de Postdam, cierra esta reproducción de artísticas láminas. Como colofón el rey Federico II, llamado el Grande, nos invita con un franco "bonjour" a que admiremos las obras que él impulsó y mandó construir sobre el sobrio suelo prusiano durante su reinado (1740-86). Con la contemplación del palacio Sanssouci, su obra culminante, hoy en día patrimonio de la Humanidad y una de las atracciones más visitadas de esta Metrópoli, decimos al rey grande: "Gracias, viejo Fritz".

Kurt Geisler

Questo volume, illustrato con 47 eccezionali foto a colori sulla Berlino del passato e quella odierna, è un invito alla gente di tutto il mondo a venire una volta a visitare la capitale. Per coloro i quali hanno già visitato la metropoli sulla Sprea, queste immagini susciteranno i ricordi di ore interessanti, avvincenti, forse anche belle ed indimenticabili, passate tra la torre radofonica e quella televisiva. Certamente, il volume fotografico è anche un gradito regalo per parenti ed amici al di fuori della città, nonché per interessati nella città, appunto per berlinesi.

Che cosa ci mostrano vedere le 47 immagini? Questo non è chiaramente la classica guida della città, con le date della storia berlinese, con le indicazioni sulla vita teatrale, il traffico, l'economia, gli alberghi, la gastronomia ed i tesori dei musei. No, qui si vuole piuttosto richiamare l'attenzione sulle perle ricostruite dell'Atene sulla Sprea con la sua dignità classicistica, sulle svettanti costruzioni della nuova Berlino, sugli esempi dell'architettura del futuro, sulle residenze di Berlino e naturalmente di Potsdam. Un tempo, nella vecchia Berlino-Ovest, c'era la passeggiata lungo il Kurfürstendamm – chiamato dai berlinesi semplicemente Ku'damm –, che era una meta obbligata per ogni visitatore della città. Oggi nessun turista tralascia di visitare l'elegante strada di un tempo e di oggi, la Unter den Linden della quale, nella guida della città del 1912, si diceva che "la strada lunga 1,3 chilometri e larga 60 metri è fin da sempre l'orgoglio di Berlino".

Un po' ai lati della Lindenstrasse – nell'anno 2000 questo viale ha compiuto il suo 350° anniversario – la quale nella sua parte est, con la Zeughaus, la neue Wache, l'Università Humboldt, la Biblioteca, l'Opera di Stato, il palazzo del principe ereditario e delle principesse nonché la sede della guarnigione, conserva ancora lo stesso aspetto di 150 anni fa, ci sono altre due meraviglie. Si tratta dell'Isola dei musei, famosa in tutto il mondo, e del Gendarmenmarkt, la piazza più bella città che risplende con i suoi gioielli architettonici.

Nessun visitatore rinuncerà a visitare la cupola del Reichstag (anche se nella maggior parte dei casi bisogna fare una lunga coda), e nessun turista rinuncerà a catapultarsi in soli 40 secondi, con l'ascensore veloce, sulla terrazza panoramica della torre televisiva (Fernsehturm), a 203 metri di altezza. Infine il Potsdamer Platz. Nell'anno 1925 sferragliavano 600 tram all'ora attraverso la piazza – "per sorpassare si attenda, fino a quando il comando di guardia non abbia dato il segnale" – si diceva allora nella Berlino imperiale. Oggi c'è di nuovo il vecchio semaforo, che entrò in funzione per la prima volta nel 1924, come semplice attrazione sulla piazza che è circondata da grattacieli e dalla Sony Plaza. Per chi crede che la città non sia fatta per dormire, è consigliabile andare agli Hackesche Höfe, dove giovani ed anziani, ricchi e poveri, stanno a stretto contatto gli uni con gli altri.

Berlino è una città sempre verde in ogni stagione dell'anno – è verde anche d'inverno, perché nelle cinque grandi zone boscose ci sono tanti pini. Lì, in primavera, vagano nel distretto forestale 3.000 cinghiali quasi addomesticati, certamente non un compito facile per le guardie forestali. Anni or sono, un assessore alle costruzioni voleva farsi scudo davanti ad ogni albero di strada per proteggerlo. Oggi dovrebbe prendere posizione davanti a più di 400.000 tigli, platani e querce, che sono minacciati dall'inquinamento. Riguardo a tutto ciò si potrebbe applicare l'osservazione del poeta francese Jean Girardoux: "Berlino non è una città-giardino, Berlino è un giardino."

Potsdam, il "più bel sobborgo di Berlino", residenza storica – e città di guarnigione –, conclude la carrellata delle immagini. Per concludere, Federico II, detto il Grande, invita con un cordiale "Bonjour" ad ammirare soprattutto quelle bellezze che egli fece costruire nel periodo del regno (1740-86) sul terreno povero della marca di Brandeburgo. Con in testa la residenza di Sanssouci, oggi patrimonio culturale del mondo e magnete per i visitatori. "Merci", vecchio Fritz!

Kurt Geisler

Oddajemy w Państwa ręce album, który zawiera czterdzieści siedem pełnych wyrazu fotografii przedstawiających stary i nowy Berlin. Jest to swego rodzaju zaproszenie dla ludzi z każdego zakątka świata do odwiedzenia stolicy Niemiec. Dla tych, którzy już kiedyś poznali metropolię nad Szprewą, motywy te przywołają być może wspomnienia. Wspomnienia interesujących, pełnych doznań a tym samym pięknych i niezapomnianych chwil spędzonych między dwoma symbolami miasta – wieżą radiofoniczną i wieżą telewizyjną. Berliński album na pewno będzie mile widzianym prezentem dla krewnych i przyjaciół z poza miasta, jak i dla zainteresowanych w samym mieście – czyli dla berlińczyków.

Czym są te prezentowane w albumie fotografie? Na pewno nie jest to klasyczny przewodnik po mieście, pełen wyczerpujących wiadomości na temat niemieckiej historii, informacji o życiu teatralnym, transporcie, gospodarce, hotelach, gastronomii czy bogatych kolekcjach muzeów. Nie, ten album powinien być oglądany inaczej – dzięki niemu można wybrać się na wizualną przechadzkę do odbudowanych pereł architektury „Aten nad Szprewą" z ich klasycystyczną dumą, do wznoszących się wysoko w górę budowli nowego Berlina, do przykładów architektury jutra, do zamków w Berlinie i naturalnie do Poczdamu. Kiedyś w starym Berlinie Zachodnim spacer po ulicy Kurfürstendamm – nazywanej przez berlińczyków w skrócie Kudammem – był obowiązkiem każdego przyjezdnego. Dzisiaj żaden turysta nie ominie dawnej, obecnie odrestaurowanej luksusowej alei – Pod Lipami (Unter den Linden), o której pisano w przewodniku turystycznym z 1912 roku: „ta ulica o długości 1,3 km i szerokości 60 m jest już od wieków dumą berlinczyków".

Znajdujące się we wschodniej części alei Unter den Linden zabytki: Arsenał, Pomnik Ofiar Wojny, Uniwersytet Humboldtów, Biblioteka Państwowa, Opera, Pałac Książąt i Księżniczek jak również Komendatura wyglądają jak niegdyś przed 150 laty. Niedaleko alei, która w roku 2000 obchodziła jubileusz 350-lecia swego powstania, oczekują Państwa dwa następne wspaniałe kompleksy zabytkowe: słynna na całym świecie Wyspa Muzeów i plac Gendarmenmarkt, ozdobiony architektonicznymi klejnotami, najpiękniejszy plac w stolicy. Żaden turysta nie zrezygnuje z odwiedzenia kopuły Reichstagu (nawet jeśli najczęściej przed wejściem trzeba trochę poczekać), czy też z atrakcji wjazdu szybką windą na taras widokowy Wieży Telewizyjnej na wysokość 203 m. w ciągu zaledwie 40 sekund.

A potem jeszcze legendarny plac Poczdamski. W roku 1925 przejeżdżało przez ten plac, dzwoniąc i hałasując, 600 tramwajów w ciągu godziny – „aby przejść na drugą stronę ulicy trzeba poczekać, aż wachmistrz da sygnał" – taka była dewiza za tamtych czasów w Berlinie. Stara budka, z której po raz pierwszy w 1924 roku regulowano światłami ruch uliczny, dzisiaj znów tu stoi, ale tym razem tylko jako atrakcja, otoczona wokół przez wysokościowce i kompleks Sony Plaza. Dla tych, którzy przyjeżdżają do Berlina nie tylko po to, żeby się tu przespać, polecamy okolice kultowych Hackesche Höfe. Tam bez względu na wiek i grubość portfela można się dobrze zabawić i bez problemu nawiązać interesujące kontakty.

Berlin jest wiecznie zielonym miastem i to o każdej porze roku – również zimą, ponieważ otoczony jest pięcioma wielkimi obszarami leśnymi, z przewagą lasów sosnowych. Wiosną każdego roku można tam natknąć się na jedno ze stadek prawie oswojonych dzików, których conajmniej 3.000 żyje na tych terenach. Przed kilkoma laty jeden z senatorów do spraw budownictwa zamierzał bronić każdego drzewa ze względu na ochronę środowiska. Dzisiaj miałby dużo do roboty, biorąc pod uwagę ok. 400.000 lip, platanów i dębów, rosnących w obrębie miasta... Najlepiej oddaje ten stan cytat francuskiego poety Jeana Giraudoux: „Berlin to nie miasto ogrodów, Berlin to ogródto ogrodów."

Fotograficzny spacer zamyka Poczdam – najpiękniejsze „przedmieście Berlina", historyczne miasto garnizonowe i cesarska rezydencja. Na koniec Fryderyk II, zwany Wielkim, zaprasza serdecznym „Bonjour" do podziwiania przede wszystkim tych wspaniałości, które polecił wybudować w czasie swojego panowania (1740-1786) na jałowej ziemi Marchii Brandenburgskiej. Szczytem osiągnięć architektonicznych był Pałac Sanssouci, dzisiaj przykład światowego dziedzictwa kulturowego i magnes przyciągający turystów. „Merci", stary Fritzu!

Kurt Geisler

Этот альбом с 47-ю впечатляющими цветными фотографиями старого и нового Берлина приглашает людей со всего мира побывать в немецкой столице. А тем, кто уже знаком со столицей на Шпре, эти мотивы помогут вспомнить интересное, насыщенное и, возможно, незабываемо прекрасное время, проведенное между радиобашней и телевизионной. Этому альбому также несомненно будут рады родные и друзья из других городов, да и сами берлинцы, интересующиеся своим городом.

Что показано на этих 47-ти фотоснимках? Это однозначно не классический путеводитель с данными по истории Берлина, справками о театральной жизни, средствах сообщения, экономике, гостиницах, ресторанах и музейных сокровищах. Нет, тут прогуливаются глазами к восстановленным жемчужинам Афин-на-Шпре, поражающим своим классическим достоинством, к высоко вздымающимся зданиям нового Берлина, к образцам архитектуры будущего, к дворцам Берлина и, конечно, Потсдама. Раньше, в бывшем Западном Берлине, в программу гостей обязательно входила прогулка по улице Курфюрстендам, кратко называемой берлинцами Ку'дам. Сегодня ни один турист не упустит возможности побывать на роскошной улице Унтер-ден-Линден, о которой сообщается в изданном в 1912 году путеводителе: «улица 1,3 км длиной и 60 м шириной испокон веку есть гордость Берлина».

В 2000 году улице Унтер-ден-Линден исполнилось 350 лет. Ее восточная часть, где находятся здание Арсенала, Новая караульня, университет им. Гумбольдта, Библиотека, Государственный оперный театр, Дворец кронпринца и кронпринцесс, а также Комендатура, не изменилась за последние 150 лет. Немного в стороне расположены всемирно известный Остров музеев и Жандармская ярмарка, самая прекрасная площадь Берлина, обрамленная жемчужинами архитектуры. Ни один турист не забудет посетить купол Рейхстага (даже если придется долго ждать), не упустит возможности промчаться на скоростном лифте за 40 секунд на смотровую площадку телебашни на высоте 203 метра. Затем Потсдамская площадь. Легенда. В 1925 году по

ней ежечасно проезжало с трезвоном 600 трамваев. «Не переходи, не дождавшись знака вахты», – таков был приказ в кайзеровском Берлине. Сегодня здесь среди высотных зданий и Сони Плаца снова стоит старый, уже неработающий светофор, впервые подавший свой световой сигнал в 1924 году. А кто считает, что приехал в город не для того, чтобы здесь отоспаться, тот отправляется к архитектурному ансамблю «Хакеше Хёфе», где перемешиваются в тесном контакте старый и малый, богатый и бедный.

Берлин - зеленый город в любое время года, даже зимой, так много сосен в пяти больших лесных массивах. Весной по лесу бродят не менее 3 тысяч почти ручных кабанов, и это точно не охотничий анекдот. В давние времена сенатор грозился самолично встать перед каждым уличным деревом и охранять его. Сегодня ему пришлось бы занять более 400 тысяч постов рядом с липами, платанами и дубами. Французский поэт Жан Жироду однажды сказал: «Берлин - не садовый город, Берлин - это сад.»

Заканчивается наша прогулка в «самом прекрасном» пригороде Берлина, в исторической резиденции и гарнизонном городе Потсдаме. Фридрих II, названный Великим, произнеся сердечное «Bonjour», приглашает восхититься шедеврами, построенными во времена его правления (1740-86 гг.) на скудной бранденбургской земле. Это эпогей, замок Сан-Суси, наследие мировой культуры, как магнит притягивающий всех туристов. «Merci», Старый Фриц!

Курт Гейслер

这本汇集了 47 幅精彩图片的画册是对世界各地的朋友到德国首都一游的诚意邀请。对于那些已经到过依傍在施布雷河畔（Spree）的柏林城的人们，但愿这些图片将会唤起他们的美好记忆，忆起那一幕幕的轶闻趣事，或许还有那些留连在电讯塔和电视塔之间美妙而难忘的时光。当然这本图片专集作为礼品送给异地的亲朋好友或是感兴趣的柏林本地人也一定会倍受欢迎。

这 47 幅图片到底要展示些什么呢？这本画册的出版目的非常明确地异于那种着重于介绍柏林历史、剧场、交通、旅店、餐厅以及博物馆馆藏的传统导游画册。这本画册旨在让人们一览"施布雷河畔的雅典城"那一幢幢明珠似的建筑物经翻修后古雅肃穆的面貌，还有新柏林的现代风貌，超前的建筑风格，以及柏林和波茨坦多姿多彩的皇宫。过去到西柏林的选帝候大街（Kurfürstendamm）-柏林人简称酷街（Kud'amm）- 散步是所有到柏林旅游者的一大保留节目。今天则没有游客会放弃到那条古老的、经重修过的富丽堂皇的菩提树下大街（Unter den Linden）畅游的机会。据 1912 年出版的导游册记录："这条 1.3 公里长，60 米宽的大街历来就是柏林城的骄傲."2000 年是菩提树街（Lindenstraße）350 年的华诞，该街东面的军械库（Zeughaus）、新哨所（Neue Wache）、洪堡大学、图书馆、国家歌剧院（Staatsoper）、太宫、公主宫（Kronprinzen-und Prinzessinnenpalais）以及司令部等老建筑均保持了 150 年前的历史旧貌。菩提树街的旁边还有两处耀眼的景观，一为世界闻名的博物馆岛，另一个是宪兵广场，在一系列建筑精品的装点下，它堪称首都最美的广场。来柏林的游客谁也不会忘记到帝国大厦圆顶（Reichstagskuppel）去参观，（虽然多数情况下要排很长的队）。也没有人会愿意错过花 40 秒钟乘高速电梯呼啸而上 203 米高的电视塔观望台的机会。

再看波茨坦广场（Potsdamer Platz）。简直就是一个传奇。1925 年时这里每小时叮当而过 600 辆有轨电车 – "横穿马路，先要等街警发出信号"，皇城时期的柏林如是说。如今的广场上又树起了 1924 年第一次亮起的交通灯，纯粹作为被高楼和索尼社区（Sony Plaza）包围住的波茨坦广场的一大景观。如果有人认为在大城市沉睡一夜太可惜的话，不妨步行或乘车到哈克庭院（Hackesche Höfe）凑热闹，那里总有不分老少贫富的人群频繁地往来穿梭. 柏林是一座四季常青城-冬天也不例外，因为柏林城的五大森林区内有大片的松树。春季至少有 3000 头驯服的野猪穿梭在柏林的森林区。几年前的某个主管城市建设的官员想要亲自保护每一棵树。今天他得担起保护四十多万棵菩提，梧桐和橡树的重任了。法国作家纪楼督（JeanGiraudoux）讲得最合适："柏林不是花园城，柏林本身就是一座花园。"

当我们目睹柏林"最美的郊区"、历史上的国王行宫所在地-卫戍驻防城波茨坦的美景时，我们的柏林之旅也已近其尾声。我们似乎听到弗德列二世，俗称弗德列大帝衷心地用法文的"你好"邀请我们参观他执政期间（1740-86 年）在贫瘠的马尔克区地面上精心建成的乐园。世界文化之宝-王宫"忘忧宫"（Schloß Sanssouci）将我们的柏林之旅带入了高潮. 最后用法文向老弗瑞茨（弗德列大帝的名）道声"谢谢"！

Kurt Geisler

Berlin & Sanssouci

Brandenburger Tor. Weltbekannt! Mehr als ein Bauwerk – das Wahrzeichen der Hauptstadt, Symbol für Trennung und Vereinigung, Schauplatz preußischer und deutscher Geschichte. Ohne Feier und ohne Reden wurde das Tor am 6. August 1791 dem Kutschenverkehr übergeben, jenes Bauwerk, das Carl Gotthard Langhans in Anlehnung an die Propyläen auf der Akropolis in Athen entworfen hatte. Bekrönt wird das Tor von der Quadriga des Bildhauers Johann Gottfried Schadow.

The Brandenburg Gate is more than just a monument, it is Berlin's premier landmark, a symbol both for the division and the reunification of the capital, the site of Prussian and German history. The gate was opened on August 6th 1791 without any celebration or speeches. It was designed by Carl Gotthard Langhaus and modelled after the Propylaen on the Acropolis in Athens. Crowning the gate is the Quadriga by sculptor Johann Gottfried Schadow, and Victoria, the charioteer, who is quizzically called "a woman out of proportion."

La Porte de Brandebourg, c'est plus qu'un monument. C'est aussi le symbole de la ville qui en représente la séparation et la réunification et est le témoin de l'histoire Prusse et allemande. Le 6 août 1791, la Porte de Brandebourg a été ouverte à la circulation des carrosses sans qu'une cérémonie d'inauguration n'ait eu lieu, sans qu'aucun discours n'ait été tenu; ce monument a été dessiné par Carl Gotthard Langhans à l'image des propylènes de l'Acropole. La Porte de Brandebourg est couronnée par le quadrige, une œuvre du sculpteur Johann Gottfried Schadow.

Puerta de Brandeburgo, más que un monumento es la imagen de la ciudad, símbolo de la separación y la reunificación, escenario de la historia de toda Alemania. Sin celebraciones, sin discursos, la puerta fue abierta al tráfico el 6 de agosto de 1791, construida según la idea de Carl Gotthard Langhans, basándose en los propileos, la columnata de la Acrópolis de Atenas, la puerta ostenta en lo alto la Cuadriga de Johann Gottfried Schadow. Sobre Victoria, la conductora de carro, hay una leyenda: "Una mujer sin relaciones personales".

Più che un'opera architettonica, è l'emblema della capitale, simbolo della separazione e dell'unificazione, teatro di storia prussiana e tedesca. La porta, una costruzione che Carl Gotthard Langhans aveva progettato ispirandosi ai Propilei dell'Acropoli di Atene, venne consegnata il 6 agosto 1791 al traffico delle carrozze, senza festeggiamenti e senza discorsi ufficiali. La porta viene sovrastata dalla quadriga dello scultore Johann Gottfried Schadow.

Brama Brandenburgska. To dużo więcej niż tylko budowla – to symbol stolicy, symbol podziału i zjednoczenia, świadek pruskiej i niemieckiej historii. Bez uroczystości, bez przemówień w dniu 6. sierpnia 1791 brama została otwarta dla ruchu drogowego – dorożek i powozów. Monument ten zaprojektował Carl Gotthard Langhans na wzór ateńskich Propylei u wejścia na Akropolis. Autorem kwadrygi, czyli zwieńczenia bramy, był Johann Gottfried Schadow.

Бранденбургские ворота. Это не просто строение, это символ столицы, символ разделения и воссоединения, арена прусской и немецкой истории. 6-го августа 1791 года без торжественных церемоний и речей ворота были переданы под проезд карет. Скопированы Карлом Готхардом Лангхансом с афинских пропилеев акрополя. Ворота венчает квадрига, созданная скульптором Иоганом Готфридом Шадовым. Богиню победы Викторию, правящую колесницей, насмешливо называют «высокой женщиной без всяких связей».

勃兰敦堡大门（Brandenburger Tor）。它不仅仅是建筑物 – 它是首都柏林的标志、德国分裂和统一的象征、也是展现普鲁士和德意志历史的舞台。1791年8月6日这个由朗汉斯（Carl Gotthard Langhans）仿古雅典卫城神庙而设计的大门在无声无息中开通，供马车通行。门顶上装饰着雕塑家沙多（Johann Gottfried Schadow）设计的四马战车。关于驾驭战车的维克多利亚女神，人们笑称："一个高贵的，无牵无挂的女人。"

Das Brandenburger Tor

Die einstige Königliche Bibliothek, ein Prachtbau am Forum Friderizianum (heute Bebelplatz), erfreut sich der besonderen Zuneigung des Volkswitzes. Wegen seiner geschwungenen Form wird das Gebäude „Kommode" genannt, und die lateinische Inschrift „Nutrimentum spiritus" (Nahrung des Geistes) übersetzt der Berliner „Spiritus is ooch Nahrung". Der neobarocke Bau, der heute eine Einrichtung der Humboldt-Universität beherbergt, entstand zwischen 1775 und 1780.

Berliners are particularly fond of the former royal library, an elegant, monumental building at the Forum Friderizianum (today's Bebelplatz): Thanks to its curved roof, it is also called "Kommode" (Commode), and the Latin inscription "Nutrimentum spiritus" (food for the intellect) is translated by witty Berliners as "spirits are food, too." The neo-baroque building now houses an academic institute of Berlin`s Humboldt University and was designed in 1775-80.

L'ancienne bibliothèque royale, un magnifique bâtiment sur le Forum Friderizianum, (aujourd'hui Place Bebel) jouit de la sympathie du peuple. En raison de sa forme arquée, la bâtiment est appelé « commode » et l'inscription latine qui l'orne, « Nutrimentum spiritus » (nourriture de l'esprit) est traduite par le Berlinois « l'alcool est aussi de la nourriture ». La construction néo-baroque qui abrite aujourd'hui une institution de l'Université Humboldt a été érigée entre 1775 et 1780.

La antigua Biblioteca Real, uno de los edificios más suntuosos del Forum Friderizianum (hoy en día Bebelplatz) suele ser burla del humor popular. Por su forma tan amanerada el edificio recibe el nombre de "cómoda" y a su inscripción latina "Nutrimentum Spiritus" (Alimento para el espíritu) los berlineses la llaman jocosamente "espíritu también alimenta". El edificio neobarroco, que acoge en la actualidad dependencias de la Universidad Humboldt, se levantó entre 1775 y 1780.

La ex-Biblioteca reale, un sontuoso palazzo sul Foro Fridriciano (oggi Piazza Bebel) gode di particolare predilezione nel gergo popolare. Per la sua forma ondulata l'edificio viene chiamato "Kommode" (comò), e l'iscrizione latina "Nutrimentum spiritus" (nutrimento dello spirito) traduce il detto berlinese "Spiritus is ooch Nahrung" (lo spirito è anche nutrimento). La costruzione neobarocca, che ospita oggi una facoltà della Università Humboldt, è sorta tra il 1775 ed il 1780.

Dawna Biblioteka Królewska, wspaniały gmach przy Forum Friderizianum (dzisiaj plac Bebela) cieszy się wyjątkową popularnością jeśli chodzi o żarty na jej temat. Z powodu swojej lekko wygiętej, zaokrąglonej formy nazywana jest „komodą", a napis w języku łacińskim: „Nutrimentum spiritus" (pokarm ducha) berlińczycy tłumaczą jako „spirytus jest też pokarmem". Ten neobarokowy gmach powstał w latach 1775-1780 i jest dzisiaj częścią Uniwersytetu Humboldtów.

Бывшая Королевская библиотека, парадное здание на площади Фридерицианский форум (ныне площадь Бебеля), пользуется особой симпатией по части народного юмора. Из-за изогнутой формы берлинцы прозвали его «комодом», а надпись на латинском языке «Nutrimentum spiritus» (пища ума) они переводят как «спирт тоже пища». Построено в в 1775 – 1780 гг. стиле необарокко. Сегодня в нем размещается университет им. Гумбольдта.

昔日的王家图书馆 – 弗德森社区（今贝伯广场 Bebelplatz）上这座宏伟的建筑物成了今日柏林市民的玩笑对象。因其波状的外形而得"五斗橱"之名，更有柏林人将该建筑物上的希腊文题词"Nutrimentum spiritus"（精神食粮）戏译为"酒精（Spiritus）也是粮食"。这座新巴洛克风格的建筑成于1775和1780年间，今属洪堡大学。

Die Königliche Bibliothek

Von Touristen fleißig fotografiert, von Preußen-Fans begeistert betrachtet: Hoch zu Ross, mit Dreispitz und Krückstock, der schon mal faulen Leuten Beine machte, reitet Friedrich der Große auf der Straße Unter den Linden in Richtung früheres Stadtschloß. Christian Daniel Rauch schuf das 1851 fertiggestellte gewaltige Reiterstandbild – was sein Kollege Schadow mit dem Satz kommentierte: „Meen Ruhm ist in Rauch uffjejangen." Von der DDR-Führung jahrelang nach Potsdam verbannt, hat der König seit 1980 seinen alten Platz.

Photographed by tourists and admired by fans of Prussia: Riding high on his horse, wearing a tricorn and a cane (which sometimes served him to chase idle servants around), Frederick the Great is parading down Unter den Linden toward the former site of the City Palace. Christian Daniel Rauch created this equestrian statue in 1851. His fellow artist Schadow remarked: "My fame evaporated into smoke (Rauch)." The former East German regime had banned the statue to Potsdam, but in 1980 the bronze king was moved back here.

Assidûment photographiée par les touristes et hautement considérée par les admirateurs de la Prusse, la statue de Frédéric le Grand, trônant sur son cheval, avec son tricorne sur la tête et sa canne à bec-de-corbin en main, celui qui a su faire remuer les fainéants, se dirige vers l'endroit où se trouvait l'ancien château de la ville sur l'Avenue « Unter den Linden » (Sous les Tilleuls). Christian Daniel Rauch est l'auteur de cette imposante sculpture équestre qui a été achevée en 1851.

Muy fotografiado y admirado por los turistas. Sobre su corcel, con sombrero de tres picos y bastón de puño corvo que a menudo sirvió para azuzar a los criados holgazanes, cabalga Federico El Grande en la gran avenida Bajo Los Tilos dirigiéndose hacia el antiguo palacio. Christian Daniel Rauch creó en 1851 la estatua ecuestre, que luego Schadow comentó lacónicamente: "Mi fama se ha esfumado" Durante muchos años la estatua fue desterrada a Postdam, pero desde 1980 el rey ha vuelto a ocupar el lugar que le correspondía.

Molto fotografato dai turisti ed osservato con entusiasmo dagli appassionati della Prussia: a cavallo, con il capello a tre punte ed il bastone a gruccia che mise già in fuga pigri personaggi, Federico il Grande galoppa lungo l'Unter den Linden, in direzione dell'ex-Castello della città. Ch. D. Rauch realizzò nel 1851 la maestosa statua equestre, così commentata dal suo collega Schadow: "La mia fama si è sciolta in fumo" (gioco di parole). L'edificio neobarocco, che ospita attualmente una struttura della Università Humboldt, fu costruito tra il 1775 ed il 1780.

Przez turystów bardzo często fotografowany, przez miłośników Prus z zachwytem oglądany: konno, w trójkątnym kapeluszu i z laseczką, którą zdarzało mu się nieraz pogonić leniuchów, Fryderyk Wielki jedzie na koniu aleją Unter den Linden w kierunku byłego Zamku Miejskiego. Chr. D. Rauch jest autorem tego posągu, który odsłonięto w roku 1851. Jego kolega Schadow skomentował ten pomnik jednym zdaniem: „Moja sława poszła z dymem" (niem. Rauch: dym). Dopiero od 1980 roku odlany w brązie król ponownie stanął na dawnym miejscu.

Его с усердием фотографируют туристы, с восторгом созерцают приверженцы Пруссии: верхом на коне, в треуголке и с тростью в руках, нередко подгонявшей ленивцев, скачет Фридрих Великий по улице Унтер-ден-Линден к бывшему Городскому дворцу. Гигантское изваяние всадника создал в 1851 г. К. Д. Раух («Раух» означает «дым»), что его коллега Шадов прокомментировал так: «Моя слава исчезла в дыму». Бронзовый король, сосланный на долгие годы правительством ГДР в Потсдам, возвратился на свое место в 1980 году.

旅游者的拍照对象，深受普鲁士崇拜者景仰的铜像：弗德列大帝身跨宝驹，随身带着三尖头棍还有懒人用的拐杖行驶在菩提树下大街上，朝着他昔日的王宫方向。绕何（Christian Daniel Rauch）于1851年完成了这座壮观的骑士铜像 他的同行沙多感叹道："我的名声化烟（绕何Rauch作名词有烟雾之意）了。" 东德政府曾将这座铜像长期移放波茨坦，从1980年起该像才重新回到最初的位置。

„Friedrich der Große" – Unter den Linden

Als repräsentativen Mittelpunkt seiner Hauptstadt plante Friedrich der Große das Forum Friderizianum. Auf dem Foto zwei der herausragenden Gebäude, die Königliche Oper (heute Staatsoper) und St. Hedwigs-Kathedrale. In der Rekordzeit von zwei Jahren war das Opernhaus als erster großer Bau unter Friedrich II. durch Georg Wenzeslaus von Knobelsdorff errichtet worden. Die schweren Kriegszerstörungen sind in den Jahren 1952-1955 beseitigt worden. Die katholische Kirche ist heute Kathedrale des Bistum Berlin.

The Forum Friderizianum was envisioned by Frederick the Great as the representative centre of his capital. The photo shows two of the outstanding buildings, the Royal Opera House (today's State Opera), and the St. Hedwigs-Kathedrale. The opera house was completed in just two years and was the first grand building designed by Georg Wenzeslaus von Knobelsdorff for Frederick II. During the war, the building suffered severe destructions repaired in 1952-55. The Catholic church serves as the official cathedral of the Berlin diocese.

Frédéric le Grand avait fait bâtir le Forum Friderizianum à titre de point central représentatif de sa capitale. Sur cette photographie se trouvent deux des bâtiments les plus importants: l'Opéra Royal (aujourd'hui l'Opéra National) et la cathédrale de St Hedwig. La construction de l'Opéra, qui a été effectuée dans un temps record de deux ans sur les plans de l'architecte Georg Wenzeslaus von Knobelsdorff, est l'un des premiers grands édifices bâtis sous Frédéric II. Durant les années 1952 à 1955, les importants dégâts causés par les guerres ont été réparés.

Federico el Grande erigió en este centro de la capital el suntuoso conjunto monumental Forum Friderizianum. En la foto dos de los edificios más emblemáticos, la Opera real (Opera del Estado) y la Catedral de Santa Eduvigis. En un tiempo récord de dos años estuvo terminada la opera, primero de los edificios que bajo el reinado de Federico II construyó Georg Wenzeslaus von Knobelsdorff. Las secuelas de la guerra fueron subsanadas entre 1952-1955. La iglesia católica es hoy sede del obispado de Berlín.

Federico il Grande progettò il Foro Fridriciano come centro della sua capitale. Nella foto due eminenti edifici: l'Opera reale (oggi Staatsoper) e la Cattedrale di Santa Edvige. Il teatro dell'opera venne costruito al tempo record di due anni da Georg Wenzeslaus von Kobelsdorff e fu la prima grande realizzazione architettonica sotto il regno di Federico il Grande. Le gravi distruzioni causate nel corso della guerra sono state rimosse negli anni 1952-1955. La chiesa cattolica è oggi la cattedrale della diocesi di Berlino.

Jako reprezentacyjne centrum stolicy Fryderyk Wielki zaplanował Forum Friderizianum. Na fotografii dwie wyjątkowe budowle: Opera Królewska (dzisiaj Opera Państwowa) i katedra św. Jadwigi. W rekordowym czasie dwóch lat jako pierwszy powstał budynek Opery, wielki gmach wybudowany za życia Fryderyka II przez Georga Wenzeslausa von Knobelsdorffa. W latach 1952-1955 usunięto ciężkie zniszczenia wojenne. Katolicka katedra jest dzisiaj katedrą całej diecezji berlińskiej.

Репрезентативным центром столицы по плану Фридриха Великого должен был стать Фридерицианский форум с двумя величественными зданиями: Королевским оперным театром (сегодня Государственная опера) и собором св. Ядвиги. Театр, первое большое сооружение Фридриха II, был построен Кнобельсдорфом за рекордное время в два года. Здание, сильно пострадавшее во время войны, восстановлено в 1952-1955 гг. Католическая церковь сегодня является кафедральным собором епископства Берлина.

弗德森社区（das Forum Friderizianum）是昔日弗德列大帝设想的王城市中心。图片展现的是颇具代表性的两建筑：王家歌剧院（今国家歌剧院）和圣黑德大教堂（St. Hedwigskathedrale）。王家歌剧院是弗德列二世执政后第一个大的建筑项目，由封克罗伯斯多夫（Goerg Wenzeslaus v. Knobelsdorff）在创纪录的两年时间内建成。战争对它的严重损坏已在 1952-1955 年间得到修缮。这个天主教堂如今成为柏林主教区大教堂。

Die Staatsoper und die St.-Hedwigs-Kathedrale

Einem „römischen Castrum ungefähr nachgeformt" hat nach seinen Worten Karl Friedrich Schinkel die 1818 fertiggestellte Neue Wache an der Straße Unter den Linden. In dem edlen klassizistischen Bau war zunächst die Wache für den Schloßbezirk einquartiert; auch Theodor Fontane stand dort unter Gewehr. Weitere Stationen: 1931 Gedenkstätte für die Gefallenen des Ersten Weltkrieges. In der DDR Mahnmal für die Opfer von Faschismus und Militarismus. Seit 1993 Zentrale Gedenkstätte der Bundesrepublik.

The Neue Wache (New Guardhouse) Unter den Linden was "modelled after a Roman castle," as its architect Karl Frederick Schinkel put it. The monument (1818) first served as quarters for the palace guards. In 1931, it became a memorial site for the victims of World War I; during the Socialist reign, it served as memorial to the victims of fascism and militarism. Since 1993, it is the national memorial to the victims of war and terror. The interior is dominated by the sculpture "Mourning mother with dead son," by Käthe Kollwitz.

La Neue Wache (la Nouvelle Garde), construite en 1818 par Karl Friedrich Schinkel sur l'Avenue Unter den Linden a été bâtie selon ses dires suivant les plans d'un fort romain. Dans un premier temps, les gardes de l'arrondissement du château étaient logés dans ce bâtiment d'un classicisme élégant. En 1931, il devint un lieu commémoratif pour les soldats tombés durant la Première Guerre Mondiale. Sous le régime de la RDA, ce fut un monument à la mémoire des victimes du fascisme et du militarisme.

"Lo más parecido a un castro romano", así definió el arquitecto Karl Friedrich Schinkel la Neue Wache (1818) en Unter den Linden. En este edificio de estilo clásico estaba albergada la guardia real. Theodor Fontane estuvo allí con el fusil en la mano. 1931 Monumento en memoria de los caídos en la I guerra mundial erigido por la RDA. Desde 1993 este memorial recuerda las victimas de la guerra y la tiranía. La estancia está realzada por una escultura de Käthe Kollwitz "Madre afligida con el hijo muerto".

"Quasi riprodotta secondo il modello di un castrum romano" – secondo le sue testuali parole –, la Neue Wache venne portata a termine nel 1818 da K. F. Schinkel nell'Unter den Linden. Nell'edificio classicistico venne alloggiato in un primo tempo il corpo di guardia per il distretto del castello. Altre date importanti: nel 1931 monumento commemorativo per i caduti della prima guerra mondiale. Nella RDT memoriale per le vittime del fascismo e del militarismo. Dal 1993 monumento per le vittime della guerra e della dittatura.

Według słów K.F. Schinkela oddana do użytku w roku 1818 Nowa Wartownia przy alei Unter den Linden została „zaprojektowana podobnie do rzymskiej świątyni". W tym schlachetnym, klasycystycznym budynku na początku była zakwaterowana straż zamkowa, również Theodor Fontane służył tam. Następne funkcje to od roku 1931 miejsce pamięci poległych w czasie I wojny światowej, a w czasach NRD pomnik ofiar faszyzmu i militaryzmu. Od roku 1993 jest to Narodowe Miejsce Pamięci ku czci ofiar wojny i przemocy.

Новая караульня на Унтер-ден-Линден построена в 1818 г. по словам ее автора К. Ф. Шинкеля по подобию римского кастела. В благородном классическом здании первоначально размещался дворцовый караул. Здесь стоял в карауле и Теодор Фонтане. Позднее здание использовалось для различных целей: с 1931 г. как памятник павшим в 1-ой Мировой войне; во времена ГДР как мемориал жертвам фашизма и милитаризма; с 1993 г. как центральный мемориал жертвам войны и насилия.

1818 年申克尔（K.F. Schinkel）自称"模仿罗马人的军营"在菩提树下大街建成新哨所。这幢纯古典主义的建筑最初是保护王宫的哨兵们的居所。以后的用途分别是：1931年作为第一次世界大战阵亡将士纪念馆。东德政府执政期间阶段性作为法西斯主义及军国主义的牺牲者的纪念所。自1993年以来成为受战争和暴力迫害牺牲者的纪念中心。大厅内是珂威茨（Käthe Kollwitz）雕塑的那个感人的作品"悲痛的母亲和她死去的儿子"。

Die Neue Wache

Dekorativ erleuchtet unter einem nächtlichen Himmel zeigt sich der Neubau des chinesisch-amerikanischen Stararchitekten Ieoh Ming Pei, ein Baukörper aus Glas und Stein mit einer zentralen Treppenspirale. Gedacht ist der Anbau für Wechselausstellungen des Deutschen Historischen Museums (DHM), das seinen Hauptsitz im angrenzenden Zeughaus hat und durch einen unterirdischen Gang mit dem Pei-Bau verbunden ist. Ende 2004 öffnet das DHM das sorgfältig restaurierte Zeughaus mit einer Dauerausstellung zur deutschen Geschichte.

The new construction by the Chinese-American star architect Ieoh Ming Pei is gleaming nicely under the nightly sky. The building is made of glass and stone and features a central, spiralled staircase. The annex to the Deutsches Historisches Museum (DHM), the German History Museum, was designed for changing exhibitions and is linked to the historic Zeughaus (Armory) by an underground passageway. The meticulously restored Zeughaus will reopen in late 2004 with a permanent exhibit about German history.

Eclairée de façon décorative sous un ciel nocturne, la nouvelle bâtisse qui a été construite par l'architecte sino-americain de grande réputation, Ieoh Ming Pei, se présente sous forme d'une pyramide en verre et en pierre bâtie autour d'un escalier central en spirale. Cet agrandissement qui est relié à la Zeughaus, le bâtiment principal du Musée Historique allemand, par un tunnel souterrain a été prévu dans le but d'abriter des expositions itinérantes de celui-ci. Le Musée Historique allemand prévoit la réouverture de la Zeughaus.

Una llamativa iluminación de la noche nos sugiere la novísima obra del arquitecto norteamericano de origen chino Ieoh Ming Pei. Se trata de una estructura de cristal y piedra con una ingeniosa escalera central de caracol. Este edificio está dedicado a las exposiciones del Museo Histórico Alemán (DHM) cuya sede se ubica en la Zeughaus (Armería real), unida al bloque de Pei por una galería subterránea. A finales de 2004 el DHM abrirá la Armería ya restaurada con una exposición permanente de la Historia alemana.

Illuminato in maniera decorativa sotto un cielo notturno, si presenta il nuovo edificio del famoso architetto cinese-americano Ieoh Ming Pei, costruzione in vetro e pietra, con una scalinata centrale a spirale. Questo fabbricato annesso è stato pensato per esposizioni vaganti del Museo Storico tedesco (MSt), che ha la sua sede principale nell'adiacente Zeughaus ed è collegato all'edificio di Pei con un passaggio sotterraneo. Alla fine del 2004 il MSt aprirà al pubblico il Zeughaus, accuratamente restaurato, con un'esposizione permanente sulla storia tedesca.

Pod nocnym niebem dekoracyjnie podświetlony, ukazuje się nowy gmach według projektu słynnego chińsko-amerykańskiego architekta Ieoh Ming Pei; budowla ze szkła i kamienia, ze spiralnymi schodami w centrum. Ta dobudowa jest pomyślana jako miejsce wystaw Niemieckiego Muzeum Historycznego, które swoją główną siedzibę ma w sąsiednim budynku Arsenału i połączone jest przejściem podziemnym z gmachem Ming Pei. W końcu 2004 roku, po pieczołowitej rekonstrukcji, otwarty zostanie Arsenał, a w nim stała wystawa na temat historii niemieckiej.

В декоративном освещении под ночным небом предстает новое здание из стекла и камня известного китайско-американского архитектора Пейя с центральной спиралевидной лестницей. Пристройка предназначена для временных выставок Немецкого исторического музея, находящегося в соседнем здании Арсенала и соединенного со зданием Пейя подземным ходом. К концу 2004 г. здание Арсенала откроется после тщательной реставрации. В нем будет постоянная выставка немецкой истории.

著名华裔美籍建筑师贝聿铭设计的这幢用玻璃和石头合成的新建筑物中央是一个螺旋梯，在夜空下这幢楼房格外耀眼。该建筑是为德国历史博物馆（DHM）加建的一个分展厅。德国历史博物馆的主址在邻近的军械库内，新建的贝氏楼通过一个地下通道与军械库相连。2004年底德国历史博物馆将重新对外开放整修后的军械库，长期展出德国历史。

Neubau mit Treppenspirale für das Deutsche Historische Museum

Preußischer Klassizismus vom Feinsten. Das Kronprinzenpalais an der Straße Unter den Linden erhielt 1857 sein heutiges Aussehen nach Plänen von Johann Heinrich Strack. Es ist ein Haus der Geschichte – hier besaßen die jeweiligen Preußischen Kronprinzen ein Palais ganz in der Nähe des Stadtschlosses. Am 31. August 1990 wurde im Palais der deutsch-deutsche Einigungsvertrag unterzeichnet. Vorher war das Gebäude vom Ministerrat der DDR als Gästehaus genutzt worden.

Prussian classicism at its best: The façade of the Kronprinzenpalais (Crown Princes' Palace) on Unter den Linden was designed by Johann Heinrich Strack in 1857. This is a historic monument, where the Prussian crown princes lived in their very own palace, just a few steps away from the City Palace. On August 31st 1990, the German Reunification Treaty was signed here. Prior to this date, the building was used by the East German regime as a state guesthouse.

En bordure de l'Avenue « Unter den Linden », le Palais du Prince héritier (Kronprinzenpalais), une œuvre de style classique prussien de meilleur goût, fut bâtit en 1857 selon les plans de Johann Heinrich Strack. Cet édifice a un passé historique important – chacun des princes héritiers Prusses avait un palais à proximité du château de la ville. Le 31 août 1990, la convention de réunification des deux Allemagne a été signée dans ce Palais. Sous le régime de la RDA, le Conseil des Ministres utilisait ce bâtiment pour accueillir ses invités.

Refinado clasicismo prusiano. El palacio del príncipe heredero en la Avenida Bajo los Tilos se apropia de su actual aspecto según los planos de Johann Heinrich Strack. Es un edificio histórico: Aquí los príncipes prusianos dispusieron de una residencia palaciega cercana a la casa real. El 31 de agosto de 1990 se firmó en este palacio el tratado de reunificación de las dos Alemanias. Anteriormente fue utilizado por el Gobierno de la RDA para hospedar a invitados ilustres.

Classicismo prussiano tra i più raffinati. Il Kronprinzenpalais (palazzo del principe ereditario) nel viale Unter den Linden acquistò la sua fisionomia attuale nel 1857 sulla base di un progetto di Johann Heinrich Strack. E` un edifico storico: qui i principi ereditari di Prussia in carica avevano un palazzo nelle dirette vicinanze del Castello della città. Il 31 agosto 1990 venne qui firmato il trattato di unificazione tra le due Germanie. L'edificio veniva in passato utilizzato dal Consiglio dei ministri della RDT come foresteria.

Pruski klasycyzm w najlepszym wydaniu. Pałac Książąt Koronnych (Kronprinzenpalais) przy alei Unter den Linden otrzymał dzisiejszy wygląd według planów Johanna Heinricha Stracka z roku 1857. Jest gmachem pełnym historii – kolejni pruscy książęta mieli tutaj swoją siedzibę – w pobliżu Zamku Miejskiego. W dniu 31 sierpnia 1990 w pałacu został podpisany niemiecko-niemiecki traktat zjednoczeniowy. Wcześniej budynek użytkowany był przez Radę Ministrów NRD jako dom dla gości.

Прусский классицизм в своем совершенстве. Дворец кронпринцев на Унтер-ден-Линден обрел свой сегодняшний облик в 1857 г. по проекту И. Г. Штрака. Это историческое здание рядом с Городским дворцом служило резиденцией прусским кронпринцам. 31-го августа 1990 г. во дворце был подписан договор о воссоединении Германии. До этого здание использовалось Советом Министров ГДР как гостиница для официальных гостей.

普鲁士古典派经典之作 菩提树下大街上的太子宫（Kronprinzenpalais）早在1857年即由施特拉克Johann Heinrich Strack）设计建成今日的外观。它好比一座历史的熔炉 普鲁士各个时期的太子曾居于这个离城市之宫（Stadtschloss）很近的宫殿中。1990年8月31日两德统一合同在太子宫内签署。以前太子宫曾是东德内政部顾问团的宾馆。

Das Kronprinzenpalais

Auf Tuchfühlung: Der geniale Baumeister und eines seiner Meisterwerke. Westlich vom Schloßplatz, auf dem alten und neuen Schinkelplatz, steht Preußens größter Baumeister Karl Friedrich Schinkel, modelliert von Friedrich Drake. Im Hintergrund die Friedrichswerdersche Kirche, die 1987 anlässlich der 750-Jahr-Feier Berlins grundlegend restauriert wurde. Sie wird jetzt als Schinkelmuseum genutzt und zeigt beispielsweise als Gipsmodell die Prinzessinnengruppe mit den Schwestern Luise und Friederike.

The ingenious architect and one of his masterworks are at close interval. West of the Schlossplatz, on the old and new Schinkelplatz, is Prussia's greatest architect, Karl Frederick Schinkel, sculptured by Frederick Drake. In the background is the Friedrichswerdersche Kirche. It was restored in 1987, in the year of Berlin's 750th anniversary. The church now is used by the Schinkelmuseum and shows, among many other objects, a plaster model of the princesses' ensemble of the beautiful sisters Luise and Friederike.

L'architecte de génie et une de ses œuvres. A l'ouest de la place du château, sur l'ancienne et la nouvelle Place de Schinkel se dresse le plus grand architecte prussien Karl Friedrich Schinkel modelé par Friedrich Drake. En arrière plan on distingue l'église « Friedrichswerdersche Kirche » qui a fait l'objet d'une restauration complète lors du 750ème anniversaire de Berlin. De nos jours elle loge le Musée de Schinkel dans lequel on peut par exemple admirer le modèle en plâtre du « Groupe de princesses » avec les belles princesses Luise et Friederike.

Codearse con el genio: El arquitecto y una de sus obras más logradas. En la Schloßplatz, la antigua y moderna Schinkelplatz, se encuentra la efigie del más grande de los alarifes prusianos, Karl Friedrich Schinkel, modelado por la mano de Friedrich Drake. Detrás la Iglesia de Friedrichswerde, que en 1987 fue rehabilitada por completo para las celebraciones de los 750 años de la fundación de Berlín. En la actualidad es el museo Schinkel y exhibe en su interior en escayola el grupo de las princesas con las hermanas Luisa y Federica.

Uno accanto all'altro: Il geniale architetto ed uno dei suoi capolavori. Sul lato ovest della Piazza del castello, sulla vecchia e nuova Schinkelplatz, troviamo il più grande architetto della Prussia, Schinkel, qui riprodotto dallo scultore F. Drake. Sullo sfondo, la Chiesa di Friedrichswerder, accuratamente restaurata nel 1987 in occasione dei festeggiamenti per i 750 anni della città di Berlino. Viene utilizzata come museo di Schinkel e mostra, per esempio, come modello il gruppo delle principesse che raffigura le incantevoli sorelle Luisa e Federica.

W bezpośrednim sąsiedztwie: genialny architekt i jedno z jego dzieł. Na zachód od placu Zamkowego, na starym i nowym placu Schinkela, stoi pomnik największego architekta Prus – K. F. Schinkela, dłuta Friedricha Drake. Na dalszym planie kościół Friedrichwerdersche Kirche, który w roku 1987 z okazji uroczystości 750-lecia Berlina został gruntownie odrestaurowany. Teraz znajduje się tutaj muzeum Schinkela, w którym można zobaczyć m.in. gipsowy model „Grupy księżniczek" z uroczymi siostrami Luizą i Fryderyką.

Навечно вместе: гениальный мастер и один из его шедевров. К западу от Дворцовой площади, на старой и новой площади Шинкеля, стоит величайший прусский архитектор Карл Фридрих Шинкель работы Ф. Драке. На заднем плане церковь Фридрихсвердерше Кирхе, тщательно отреставрированная в 1987 г к 750-летию Берлина. Сейчас в ней размещается музей Шинкеля, где можно полюбоваться гипсовой моделью группы принцесс, красавицами-сестрами Луизой и Фридерикой.

并排而立：天才建筑师和他的天才作品之一。宫殿广场（Schloßplatz）之西，新旧申克尔广场（Schinkelplatz）上站立着普鲁士最伟大的建筑师申克尔之像，由德纳克（Friedrich Drake）塑成。背景是弗里德瑞魏希教堂（Friedrichswerdersche Kirche），1987 年为庆祝柏林 750 周年诞辰而重修一新。它如今是申克尔纪念馆，展出如包括了美丽的路易斯和弗利德瑞克两妹的公主群石膏像等作品。

Das Karl-Friedrich-Schinkel-Denkmal

Hier, an der Schloßbrücke in Berlins Mitte, ist etwas beinahe Unglaubliches geschehen. Denn nur nach alten Plänen, Postkarten und Fotos wurde die einstige Stadtkommandantur äußerlich originalgetreu neu erbaut. Dort residiert seit Ende 2003 mit der attraktiven Adresse Unter den Linden 1 die gemeinsame Hauptstadt-Repräsentanz von Bertelsmann AG und Bertelsmann Stiftung. Mehr als 22 Millionen Euro hat der Medienkonzern für das klassizistische Gebäude bereitgestellt, ein Glanzpunkt gegenüber vom Zeughaus.

It was here, at the palace bridge in Berlin's historic heart that something almost unbelievable happened: Based on old maps, postcards, and photos the façade of the old Stadtkommandantur (City Guardhouse) was completely reconstructed. Since late 2003, it houses the capital office of the Bertelsmann AG and the Bertelsmann Foundation. The media giant has invested more than 22 million Euros for the classicist building with the proud street address Unter den Linden No. 1 – a true highlight directly across the street from the Zeughaus.

En bordure du pont de la Schloßbrücke dans le centre de Berlin, l'ancien bureau du commandant de la ville n'a pu être reconstruit conformément à l'original que grâce à d'anciens plans, et selon des cartes postales et photographies de l'époque. Depuis fin 2003, la représentation de Berlin de la société Bertelsmann AG et Bertelsmann Sitftung réside a cet endroit. Le konzern médiatique a investi plus de 22 millions d'Euros pour la reconstruction de ce bâtiment de style néo-classique, un édifice magnifique situé en face de la Zeughaus.

En el puente, en el centro de Berlín, aconteció algo que pudiera parecer inusitado. Buscando entre antiguos planos, tarjetas postales y fotos se pudo reproducir la antigua comandancia en su aspecto exterior. Aquí se ubica desde finales de 2003 en Unten den Linden 1, la representación de la editorial Bertelsmann AG y la Fundación Bertelsmann. Más de 22 millones de euros ha invertido el poderoso consorcio editorial en la rehabilitación de este edificio clasicista, uno de los radiantes edificios situado enfrente de la Armería real.

Qui allo Schloßbrücke, a Berlino Mitte, è successo qualcosa di incredibile. Perché qui, sulla base di vecchie piantine, cartoline e fotografie, è stata ricostruita esteriormente in maniera originale la vecchia guarnigione della città. A partire dalla fine del 2003 questa è la rappresen-tanza nella capitale della Bertelsmann AG e della Fondazione Bertelsmann. Il gruppo mediatico ha investito più di 22 milioni di Euro nella ricostruzione dell'edificio classicistico, una splendida opera architettonica dirimpetto allo Zeughaus (l'Arsenale).

Tutaj, przy Moście Zamkowym, wydarzyło się coś nieprawdopodobnego. Tylko na podstawie starych planów, pocztówek i zdjęć została odbudowana, z zewnątrz wierna orginałowi, dawna Komendatura Miejska. Tam też rezyduje od końca 2003 roku, pod atrakcyjnym adresem Unter den Linden 1, wspólne przedstawicielstwo Bertelsmann SA i Fundacji Bertelsmanna w stolicy. Wyśmienita architektura naprzeciw budynku Arsenału; na ten klasycystyczny gmach koncern medialny Bertelsmann przeznaczył ponad 22 miliony euro.

Здесь, у Дворцового моста в центре Берлина, произошло почти невероятное: по одним старым планам, открыткам и фотографиям было заново построено здание Городской комендатуры. Его внешний облик полностью отвечает оригиналу. С конца 2003 г. в этом здании с примечательным адресом Унтер-ден-Линден 1 находится фирма Бертельсман и фонд Бертельсмана. Более 22 млн. евро вложила фирма в строительство этого красивейшего классического здания, стоящего напротив Арсенала.

这里，柏林中区宫殿桥（Schloßbrücke）的旁边发生了几乎让人难以置信的事。人们仅仅按照旧草图，明信片和照片而十分逼真地重建了历史上的城防司令部（Stadtkommandantur）。这个十分令人注目的地址 菩提树下大街1号自2003年底起是背特茨曼股份公司（Bertelsmann AG）和背特茨曼基金会在首都的共同驻地。该媒体公司已为这个建筑筹集了二千二百万多欧元，它堪称军械库对面的一个闪光点。

Die einstige Kommandantur

So zeitlos schön und repräsentativ baute Schinkel. Hier das 1830 eröffnete Alte Museum auf der weltbekannten Museumsinsel. Beherrscht wird die 87 Meter breite Museumsfront, vor der auf dem Lustgarten eine Fontäne sprudelt, von 18 ionischen Säulen. Zwei Bronze-Skulpturen flankieren die weite Freitreppe. Es sind die „Kämpfende Amazone" von August Kiß und der „Löwenkämpfer" von Albert Wolff. Das Museum zeigt Teile der hervorragenden Berliner Antikensammlung, Schätze der griechischen und römischen Kunst.

Schinkel created a beautiful and yet representative style, as it is showcased at the Altes Museum (Old Museum), which opened on the world-famous Museum Island in 1830. The building's façade spans a total of 87 metres behind the Lustgarten, and is dominated by 18 ionic columns. Two bronze sculptures are guarding the sweeping staircase; the "fighting Amazon" by August Kiß and the "lion fighter" by Albert Wolff. The museum presents parts of the Berlin antiques' collection of superb Greek and Roman art.

Les constructions de Schinkel sont à la fois belles et représentatives. Voici le Vieux Musée qui vit son ouverture en 1830 sur la célèbre Ile aux Musées. La façade du musée qui s'étend sur 87 mètres est jalonnée de 18 colonnes ioniques. A ses pieds, de l'eau jaillit d'une fontaine sur la place du Lustgarten (Jardin d'agrément). Deux sculptures en bronze jonchent le grand escalier qui mène au musée. Elles représentent les « Amazones en bataille » d'Auguste Kiß et le « Lutteur de Lion » d'Albert Wolff.

Fuera de las modas y del tiempo, así se ha definido la arquitectura de Schinkel. En la instantánea el Altes Museum (Museo Antiguo) inaugurado en 1830 en la Isla de los Museos. Jalonan el frontispicio de 87 metros 18 columnas jónicas, embellecido por la fuente del Jardín de las Delicias. Dos esculturas en bronce se alzan en los flancos de la escalinata: Las "Amazonas Guerreras" de Kiß y el "Luchador de leones" de Wolf. El museo muestra colecciones de obras antiguas, arte griego y romano, entre ellas "el joven mendigo".

Schinkel costruiva con un bello stile rappresentativo e al di fuori del tempo. Qui, sulla famosa isola dei musei, venne inaugurato nel 1830 l'Altes Museum. Il fronte del museo, largo 87 metri, è dominato da 18 colonne joniche: davanti ad esso zampilla una fontana. Due sculture in bronzo fiancheggiano l'ampia scalinata: l'"Amazzone combattente" di August Kiß ed il "Guerriero del leone" di Albert Wolf. Il Museo presenta parti della collezione berlinese di antichità, cioè tesori dell'arte greca e romana, tra cui il cosiddetto "Fanciullo in preghiera".

Tak ponadczasowo pięknie i reprezentacyjnie budował Schinkel. Tutaj otwarto w roku 1830 Stare Muzeum na znanej na całym świecie Wyspie Muzeów. Cześć frontowa muzeum o szerokości 87 m., przed którą tryska fontanna, jest zdominowana przez 18 kolumn w stylu jońskim. Dwie figury z brązu znajdują się na zewnątrz po obu stronach szerokich schodów. Pierwsza to „Walcząca Amazonka" A. Kißa, a druga to „Walczący z lwem" A. Wollfa. Muzeum prezentuje cześci wybitnej Berlińskiej Kolekcji Antycznej, a mianowicie skarby sztuki greckiej i rzymskiej.

Так строил Шинкель: навечно прекрасно и величественно. Это открывшийся в 1830 г. Старый музей на Острове музеев. 18 ионических колонн поддерживают 87-метровый портал, а перед ним на площади Люстгартен бъет фонтан. По бокам широкой парадной лестницы стоят две бронзовые скульптуры: «Борющаяся амазонка» А. Кисса и «Мужчина, борющийся со львом» А. Вольфа. В музее хранится часть знаменитого берлинского собрания античной культуры, а именно сокровища греческого и римского искусства, например, «Молящийся мальчик».

申克尔的建筑风格具有跨时代的美感和表现力。这里是1830年在世界闻名的博物馆岛上开放的古代博物馆（Das Alte Museum）。18根爱奥尼亚式立柱支撑起博物馆87米宽的前廊。博物馆前面的娱乐园中间喷泉婆娑。宽大的台阶两翼屹立的两座铜像分别是克斯（August Kiß）的"阿玛措斗士"和沃尔弗（Albert Wolff）的"斗狮者"。这座博物馆展出柏林的部分古代艺术品，诸如希腊、罗马的艺术，其中有著名的"乞讨的男孩。"

Das Alte Museum

Der Berliner Dom am Lustgarten, die größte und prächtigste Kirche der Stadt, gehört zum Pflichtprogramm der Touristen. Sie sind fasziniert von der kostbaren Innenausstattung mit leuchtenden Mosaiken und blitzenden Goldteilen, farbenfrohen Marmorsäulen und wertvollen Skulpturen. Sehenswert ist auch die unterirdische Hohenzollerngruft. Das Gotteshaus, das nach einem Entwurf von Julius Raschdorff von 1894-1905 erbaut wurde, war als Hauptsitz des preußischen Protestantismus und Hofkirche der Hohenzollern gedacht.

The Berliner Dom (Berlin Cathedral) at the Lustgarten is the city's biggest and most prestigious church – a must-see for any tourist. You will be impressed by the precious interior design with its glittering mosaics and glistening gold decorations, the colourful marble columns and the prized sculptures. The church was built in 1894-1905 by Julius Raschdorff and served as main church of Prussian Protestantism and also as the royal court church of the imperial Hohenzollern family.

La cathédrale de Berlin située au bord du Lustgarten est l'église la plus grande et la plus somptueuse de la ville et doit à tout prix être prévue dans le programme touristique. Les touristes sont fascinés par la richesse de son intérieur avec ses mosaïques et ses dorures, les colonnes en marbre colorées et les sculptures de grandes valeurs. Cette maison de dieu qui a été bâtie entre 1894 et 1905 selon les plans de Julius Raschdorff était considérée comme siège du protestantisme prussien et servait d'église à la cour des Hohenzollern.

La Catedral de Berlín en el Jardín de las Delicias, la basílica más suntuosa y señorial de la capital, uno de los lugares que ningún turista debe perderse. El visitante queda fascinado por la decoración interior con mosaicos luminescentes y artesonados en oro, columnas de mármol y preciosas esculturas. Esta casa de Dios, que fue erigida según los planos de Julius Raschdorff entre 1894 y 1905, fue sede principal del protestantismo prusiano y capilla de los Hohenzollern, la casa real alemana.

Il Duomo di Berlino nel Lustgarten, la più grande e sontuosa chiesa della città, rientra nel programma obbligatorio dei turisti. Essi restano affascinati dal prezioso arredamento interno, con mosaici luminosi e parti dorate luccicanti, colonne di marmo dai colori vivaci e preziose sculture. La chiesa, che fu costruita in base ad un progetto di Julis Raschdorff tra il 1894 ed il 1905, aveva la funzione di sede principale del protestantesimo prussiano e chiesa di corte degli Hohenzollern.

Katedra Berlińska przy ogrodzie Lustgarten, największy i najwspanialszy kościół w mieście, należy do obowiązkowego programu zwiedzania każdego. Turyści zafascynowani są drogocennym wyposażeniem tego wnętrza, z błyszczącymi mozaikami, lśniącymi złotem częściami dekoracji, kolorowymi kolumnami z marmuru i cennymi figurami. Katedra wybudowana w latach 1894–1905 według projektu architekta Juliusa Raschdorffa, była pomyślana jako główna świątynia pruskiego protestantyzmu i dynastii Hohenzollernów.

Берлинский собор на площади Люстгартен, самую большую и роскошную церковь города, надо обязательно посмотреть всем. Дух захватывает от богатой внутренней отделки со светящейся мозаикой и мерцающим золотом, от красочных мраморных колонн и ценных скульптур. Божий храм, построенный в 1894-1905 гг. по проекту Ю. Рашдорфа, был резиденцией прусского протестанства и придворной церковью династии Гогенцоллеров.

柏林大教堂（der Berliner Dom）在古代博物馆娱乐园旁边。它是柏林城最大也是最华丽的教堂，属游客必访之地。教堂内部发光的砖饰、闪亮的金块、多彩的大理石柱以及珍贵的雕塑吸引了众多的游客。这座教堂成建于 1894－1905 年间，由饶希多夫（Julius Raschdorff）设计，当时是霍恩措伦皇族的皇家教堂。

Der Berliner Dom

Hoch zu Ross zeigt sich auf einem zwölf Meter hohen Sockel der Initiator der Alten Nationalgalerie auf der Museumsinsel, König Friedrich Wilhelm IV. Das 1876 eingeweihte Gebäude ist ein klassizistischer Tempelbau aus rotem Sandstein und gehört mit seinen wunderbar restaurierten Sälen zu den schönsten kulturellen Einrichtungen Berlins. Zu sehen sind Meisterwerke der Malerei und der Bildhauerei, beispielsweise das „Flötenkonzert Friedrichs des Großen" von Menzel und der „Wintergarten" von Edouard Manet.

Riding high on his horse is the founder of the Alte Nationalgalerie (Old National Gallery) on Museum Island, King Frederick William IV. The building opened in 1876 and looks like an antique temple made of red sandstone. Thanks to its wonderfully restored exhibit halls, it is among the most appealing cultural institutions of Berlin, showing masterwork paintings and sculptures, such as the "flute concert of Frederick the Great" by Menzel, "Winter garden" by Manet or the "Princesses' ensemble" by J. G. Schadow.

Sur un socle d'une douzaine de mètres de hauteur, le roi Frédéric Guillaume IV, qui est à l'origine de la construction de l'ancienne Galerie Nationale, chevauche sa monture. La bâtisse, qui a été inaugurée en 1876, a l'apparence d'un temple classique en grès rouge et est considéré comme étant l'un des plus beaux édifices culturels de Berlin avec ses salles merveilleusement bien restaurées. On peut y admirer des chefs-d'œuvre de la peinture et de la sculpture telle œuvre de Menzel intitulée le « Concert de Flûte de Frédéric le Grand ».

Montado en altanero corcel aparece sobre un pedestal de 12 metros la estatua del señor de la Antigua Nationalgalerie, Federico Guillermo IV. Este edificio, inaugurado en 1876, es un templo de estilo clasicista de piedra roja e imponentes columnas; pasa por ser una de las instituciones culturales más prestigiosas de Berlín. Aquí se pueden admirar obras de pintura y escultura alemanas: el "Concierto de flautas de Federico el Grande" de Menzel, "Jardín de invierno" de Manet o el "Grupo de las princesas" de Schadow.

Il re Federico Guglielmo IV, il committente della Alte Nationalgalerie sull'Isola dei musei, si mostra a cavallo su un basamento alto 12 metri. L'edificio, inaugurato nel 1876, è costruito alla maniera di un tempio classicistico in pietra arenaria rossa e, con le sue sale stupendamente restaurate, è una delle più affascinanti istituzioni culturali di Berlino. Vi si possono ammirare capolavori della pittura e della scultura, per esempio "Il concerto di flauto di Federico il Grande" di Menzel oppure il "Gruppo delle principesse" di Schadow.

Wysoko na koniu, na 12 metrowym piedestale widzimy inwestora Starej Galerii Narodowej na Wyspie Muzeów – króla F. Wilhelma IV. Ten gmach, w stylu klasycystycznej świątyni z czerwonego piaskowca, został oddany do użytku w roku 1876 i należy wraz ze wspaniale odnowionymi salami do najpiękniejszych, publicznych instytucji kultury w Berlinie. W Galerii można zobaczyć arcydzieła malarstwa i rzeźby, np.: „Konzert na flecie Fryderyka Wielkiego" Menzela, „Ogród zimowy" E. Maneta czy też „Grupę księżniczek" J. G. Schadowa.

На 12-метровом пьедестале предстает верхом на коне король Фридрих Вильгельм IV, повелевший возвести на Острове музеев Старую Национальную галерею. Построенное в 1876 г. из красного песчаника в виде классического коринфского храма здание с отлично отделанными залами считается одним их лучших культурных заведений Берлина. Здесь хранятся шедевры живописи и ваяния, напр., «Концерт на флейте Фридриха Великого» Менцеля, «Зимний сад» Эдуарда Мане, «Группа принцесс» Шадова.

博物馆岛上国家古代美术馆（Alte Nationalgalerie)的旧主人国王弗德列威廉四世（Friedrich Wilhelm IV）骑在马上的塑像建在一个 12 米宽的底座上。这座用红色砂石建成的神殿式建筑落成于 1876 年，极具古典风格，内部各厅经重修后属柏林最美的文化设施之一。这里收藏了大量的绘画和雕塑珍品，例如门泽尔（Menzel）的"弗德列大帝之笛子演奏会"、曼勒（Edouard Manet）的"冬园"以及沙多的"公主群"等作品。

Die Alte Nationalgalerie

Unter einem weißblauen Himmel sind auf diesem Foto Natur, Kultur und Architektur vereint. Weithin sichtbar erhebt sich der 1969 fertiggestellte Fernsehturm. Dann, am Zusammenfluss von Spree und Spreekanal, die Kuppel des Bodemuseums, das nach umfangreichen Sanierungsarbeiten erst 2006 wieder öffnet. Das Haus auf der Museumsinsel mit der mächtigen neobarocken Fassade wurde von 1889-1904 erbaut und liegt in der Nachbarschaft des weltberühmten Pergamonmuseums.

This photo shows a superb combination of nature, culture, and architecture all united under a perfect blue sky. Berlin's TV tower (1969) is dominating the urban scenery; behind it, at the confluence of the river Spree and the Spree canal, is the cupola of the Bodemuseum, which will reopen after extensive restoration in 2006. The building is on Museum Island and features an impressive neo-baroque façade. It was built in 1889-1904 and is not far away from the world-famous Pergamonmuseum.

Sous un ciel bleu nuageux, cette photographie rallie la nature, la culture et l'architecture. Au loin se découpe la tour de la télévision qui a été achevée en 1969. Puis à la jonction de la Spree et du canal de la Spree, apparaît la coupole du Musée Bode qui rouvrira ses portes seulement en 2006, après que d'importants travaux de restauration aient été effectués. Les travaux de la bâtisse qui se trouve sur l'Ile des Musées et présente une immense façade néo-baroque, ont duré de 1889 à 1904. Ce bâtiment se trouve à proximité du Musée de Pergame de renommée mondiale.

Bajo el azul del cielo se han enmadejado la naturaleza, la cultura y la arquitectura. A lo lejos se distingue la Torre de TV que elevó su silueta sobre el cielo berlinés en 1969. En la confluencia del río Spree con el canal del mismo nombre, se alza la cúpula del Bodemuseum, que tras costosos trabajos de restauración, volverá a abrir sus puertas en 2006. Este edificio en la Isla de los Museos, con fachada en estilo neobarroco, fue construido entre 1889 y 1904 y se encuentra cerca del famoso Museo Pergamon.

In questa foto, sotto un cielo azzurro chiaro, si uniscono la natura, la cultura e l'architettura. In lontanza si erge visibile la torre televisiva che venne portata a termine nel 1969. Poi, alla confluenza della Sprea con il canale della Sprea, la cupola del Bodemuseum, che riaprirà nel 2006 dopo ampi lavori di restauro. L'edificio sull'Isola dei musei, con la imponente facciata neobarocca, venne realizzato tra il 1889 ed il 1904 e si trova nelle vicinanze del famosissimo Museo di Pergamo.

Pod biało-niebieskim niebem widzimy na tej fotografii zespolone ze sobą: naturę, kulturę i architekturę. W dali widać wznoszącą się wieżę telewizyjną, wybudowaną w roku 1969. Następnie, u zbiegu rzeki Szprewy i jej kanału, widoczna jest kopuła Bode-Muzeum, które po gruntownych pracach remontowych ponownie zostanie oddane do użytku dopiero w 2006 roku. Gmach ten na Wyspie Muzeów, z potężną, neobarokową fasadą powstał w latach 1889-1904 i znajduje się niedaleko słynnego na całym świecie Muzeum Pergamonu.

Под бело-голубым небом гармонично сочетаются природа, культура и архитектура. Вдали видна построенная в 1969 г. телевизионная башня, а у слияния реки Шпре и ее канала - купол музея Боде, который вновь откроется в 2006 г. после обширной реставрации. Здание на Острове музеев с мощным фасадом в стиле необарокко было построено в 1889-1904 гг. Оно находится по соседству со знаменитым Пергамским музеем.

这幅在蓝天白云衬映下的图片展现了大自然，文化和建筑设计的和谐统一。远处可见1969年落成的高耸的电视塔（Fernsehturm）。还有施布雷河和施布雷运河交汇处的博登博物馆（Bode Museum）圆顶。该博物馆将经过全面复修后在 2006 才重新开放。博登博物馆建在博物馆岛上，前部是威严的新巴洛克风格，成于 1889 - 1904 年间，位于世界著名的佩尔加蒙博物馆旁边。

Das Bode-Museum

Wie eine morgenländische Fata Morgana erheben sich über dem Häusermeer in strahlendem Goldglanz die Kuppeln der Neuen Synagoge. So hat eine Historikerin die beeindruckende Wirkung des größten jüdischen Gotteshauses in Berlin beschrieben. 1866 war eines der großartigsten Bauwerke Berlins (Entwurf Eduard Knoblauch) feierlich eingeweiht worden. Am 9. November 1938 hatten SA-Leute versucht, die Synagoge in Brand zu stecken; zu schweren Schäden kam es 1943 bei einem Bombenangriff auf die Stadt.

The golden cupolas of the Neue Synagoge (New Synagogue) on Oranienburger Strasse are rising in a sea of houses like a Fata Morgana. That's how a historian once described the sight of Berlin's largest Jewish house of God. When it was consecrated in 1866, the synagogue was one of the city's most impressive monuments (Eduard Knoblauch). On November 9th 1938, SA troops had tried to lute the synagogue, but the worst damage was done in 1943 during an air raid. Today, it houses the Centrum Judaicum.

Les coupoles de la nouvelle synagogue se distinguent sur la mer de toits rouge par l'éclat de leurs dorures, tel un mirage. C'est ainsi qu'une historienne décrit l'impression faite par la plus grande maison de prière juive de Berlin. C'est en 1866 que ce monument dessiné par Eduard Knoblauch et considéré comme un des plus impressionnants de Berlin a été inauguré. De nos jours, le « Centrum Judaicum » qui se trouve sur la rue Oranienburger Straße est le siège social du centre de la documentation et de la recherche.

Como un espejismo oriental se eleva la cúpula de la nueva sinagoga. Así ha descrito un historiador la sensación que causa este grandioso templo judío de Berlín. En 1866 fue solemnemente inaugurado uno de los edificios representativos de Berlín (de Eduardo Knoblauch). El 9 de noviembre de 1938 los hombres de las SA pusieron fuego a la sinagoga que también sufrió en 1943 durante un bombardeo de la ciudad. Hoy tiene en la Oranienburger Straße su sede el Centro Judaico para la investigación y documentación histórica.

Le cupole della Nuova Sinagoga con il loro splendido luccichio dorato spiccano sulla marea di case. Una storica descrisse così l'effetto impressionante del più grande tempio ebraico di Berlino, inaugurato nel 1866 e considerato come una delle maggiori opere architettoniche della città (progetto di Eduard Knoblauch). Nel 1938 le SA cercarono di incendiare la Sinagoga; fu gravemente danneggiata nel 1943, in occasione di un bombardamento sulla città. Oggi, nella Oranienburger Straße, il Centro Ebraico ha qui la sua sede con il Centro di documentazione e di ricerca.

Jak orientalna fatamorgana nad morzem dachów wznosi się błyszcząca złotem kopuła Nowej Synagogi. Tak właśnie opisał jeden z historyków nieprawdopodobne wrażenie, jakie wywołuje ta największa w Berlinie świątynia żydowska. Uroczyście otwarta w roku 1866 była jednym z najwspanialszych gmachów Berlina (projekt: Eduard Knoblauch). W dniu 9 listopada 1938 roku żołnierze SA próbowali podpalić synagogę; do znacznie większych zniszczeń doszło jednak w czasie bombardowania miasta w 1943 roku.

Как восточная фата моргана возвышаются в ослепительном золотом сиянии над морем домов купола Новой синагоги. Так описал один историк свое впечатление о самом большом еврейском храме в Берлине. Это одно из самых великолепных сооружений Берлина (проект Э. Кноблауха) было торжественно освящено в 1866 г.. 9 ноября 1938 года штурмовики пытались сжечь синагогу; здание сильно пострадало в 1943 году во время бомбардировки города.

闪亮的新犹太教堂（die Neue Synagoge）金顶象一座东方的海市蜃楼屹立在建筑群中间。一位女历史学家这样描述这座柏林最大的犹太教堂给她留下的深刻印象。这幢柏林最宏伟的建筑物之一于 1866 年（由克努博劳核 Eduard Knoblauch 设计）举行了它隆重的落成庆典。今天这座俄冉连布克街（Oranienburger Straße）上的犹太教堂是犹太文化中心（das Centrum Judaicum）的办公楼，那里有该中心的资料室和研究中心。

Die Neue Synagoge

Die Hackeschen Höfe!! Ein Zauberwort für einheimische und auswärtige Nachtbummler. Hier, nicht weit vom Alexanderplatz entfernt, beginnt in Bistros, Cafés, Restaurants und Galerien das eigentliche Leben erst dann, wenn anderswo die Bürgersteige hochgeklappt werden. Die seit 1907 bestehenden Höfe sind in jüngster Zeit mit 25 Mio. Euro zu einer Ministadt hochgepäppelt worden, in der man die alternative Szene ebenso trifft wie den Herrn von Welt mit Geld, Jugend genauso wie ältere Semester.

The Hackesche Höfe: It's a magic place for revellers both from Berlin and abroad. In this complex of historic courtyards, not far away from Alexanderplatz, the bistros, cafés, restaurants and art galleries come alive when the rest of the city has already fallen asleep. The courtyards and warehouses were built in 1907 and have been restored to their old glory for 25 million Euros – it's a small city within the city, where the alternative scene is mingling with the international business traveller.

Les Hackeschen Höfe, des arrières cours, sonnent comme un mot magique aux oreilles des visiteurs nocturnes qu'ils soient des habitués ou de passage. C'est ici, à peu de distance de l'Alexanderplatz que la vie commence dans les bistros, les restaurants et les galeries alors qu'ailleurs les rideaux tombent. Les 25 millions d'Euros qui ont été investis ces derniers temps dans la restauration de ces cours qui existent depuis1907, ont permis à cette ville miniature de se retaper et d'attirer aussi bien un public alternatif que des personnes mondaines.

¡¡Los patios de Hackeschen!! Palabra mágica para los amantes de la noche. No lejos de la Alexanderplatz, comienza la "movida" berlinesa: cafés, tabernas típicas, restaurantes y galerías de arte que se animan y cobran vida cuando las otras calles se pliegan al silencio. Estos patios cuya existencia data de 1907, se han rehabilitado y transformado recientemente con una inversión de 25 millones de euros, convirtiéndose en enclave de moda en el que se dan cita la intelectualidad y el cosmopolitismo más adinerado.

Gli Hackesche Höfe! Una parola magica per i nottambuli locali ed esterni. Qui, non molto lontano da Alexanderplatz, inizia nei bistrò, caffè, ristoranti e gallerie la bella vita solo quando altrove le strade si svuotano. I cortili, che esistono dal 1907, sono stati risistemati di recente con un investimento di 25 milioni di Euro, così da diventare una sorta di piccola città nella quale si incrociano la scena alternativa, la gente mondana, la gioventù ed anche le persone di una certa età.

Podwórza Hackesche Höfe! Magiczne słowa dla tutejszych i przyjezdnych „nocnych Marków". Tutaj, niedaleko od Alexanderplatz, dopiero wtedy zaczyna się prawdziwe życie w licznych kawiarniach, restauracjach i galeriach, kiedy gdzie indziej wszyscy już kładą się spać. Podwórza istnieją od roku 1907 i niedawno zostały pieczołowicie odrestaurowane za kwotę 25 milionów euro. Dzisiaj tworzą swego rodzaju miasteczko, w którym spotkać można zarówno przedstawicieli alternatywnej sceny miasta jak i wielkiego świata.

«Хакеше Хёфе»!! Волшебное слово для местных и приезжих «лунатиков». Здесь, недалеко от Александерплатц, в кафетериях, ресторанах и галереях жизнь только начинается, когда пустеют тротуары в других местах. Построенный в 1907 г. комплекс был недавно отреставрирован за 25 миллионов евро и превратился в минигород. Здесь можно встретить как альтернативную сцену, так и светских людей.

哈克庭院！！本地和外地夜游者的乐园。它离亚历山大广场（Alexanderplatz）不远。要等到其他街区闹市收场以后，这里的小吃店、咖啡馆、餐厅、艺术馆等才纷纷开张。这个由多个庭院组成的庭院群建于 1907 年，近来耗资二千五百万欧元而成为一座微型庭院城。这里既可看到那些摩登的现代表演，也不乏遇见穿着过于讲究的人物的机会。

Die Hackeschen Höfe

Zwischen blühenden Bäumen ragt der Riese aller Berliner Bauten in einen blauen Himmel. Es ist der Fernsehturm, der einschließlich Antenne 368,03 Meter erreicht. Er ist ein Gigant der Superlative: Der Betonschaft wiegt 26.000 Tonnen, die siebengeschossige Kugel mit Telecafé und Aussichtsetage etwa 4.800 Tonnen. Eine wahre Attraktion ist die sich drehende Plattform in 207 Meter Höhe im Telecafé: Bei Kaffee, Kuchen und Bier liegt den Gästen Berlin zu Füßen. Bisherige Bilanz: Rund 40 Millionen Besucher.

The giant among Berlin's monuments is rising into the blue sky: It is the TV tower, measuring a total of 368,03 metres, including the antenna. This is a building of superlatives: The concrete base weighs 26,000 tons, the seven story high bowl with the Telecafé and the observation deck has a weight of 4,800 tons. A real highlight is the slowly rotating Telecafé at 207 metres: While enjoying coffee, cake or beer, Berlin is literally at your feet. Equally impressive is this number: Between 1969 and 2000, there have been 40 million visitors.

Entre les arbres en fleurs, le géant de tous les bâtiments berlinois se distingue dans l'azur du ciel. C'est la tour de la télévision qui allongée de son antenne atteint une hauteur de 368,03 mètres. C'est une construction gigantesque : 26.000 tonnes de béton ont été utilisés pour son pylône et la boule qui le coiffe, haute de 7 étages comportant un café et un étage avec point de vue pèse environ 4.800 tonnes. Son attraction principale est la plate-forme tournante qui se trouve à 207 mètres de hauteur et abrite un café.

Entre la arboleda se eleva el más colosal de los edificios berlineses: La Torre de la TV que con antena mide 368,03 metros: Un portento de lo superlativo. La estructura de hormigón pesa 26.000 toneladas y la esfera 4.800 toneladas, tiene siete pisos con cafetería y una plataforma panorámica. Una atracción es la base giratoria situada a 207 metros de altura que alberga el café. Desde allí, disfrutando del paisaje, tenemos todo Berlín a nuestros pies. Otro récord: ca. 40 millones de visitantes.

Tra alberi in fiore s'innalza nel cielo azzurro la più gigantesca di tutte le costruzioni berlinesi. E`la torre televisiva che, con l'antenna, raggiunge i 368,03 metri di altezza. E` un colosso dei superlativi: la costruzione in calcestruzzo pesa 26.000 tonnellate, la sfera a sette piani, con telecaffè e piattaforma panoramica, circa 4.800 tonnellate. Vera attrazione è la piattaforma girevole, a 207 metri di altezza, nel telecaffè: bevendo caffè e birra, gli ospiti possono osservare dall'alto tutta Berlino. Dal 1969 fino ad oggi, circa 40 milioni di visitatori sono saliti sulla torre.

Olbrzym, największa ze wszystkich berlińskich budowli, pnie się ku błękitnemu niebu między kwitnącymi drzewami. To wieża telewizyjna, która wraz z anteną sięga wysokości 368,03 metrów, gigant pełen maksymalności: trzon wieży waży 26.000 ton, siedmiopiętrowa kula z telekawiarnią i platformą widokową około 4.800 ton. Prawdziwą atrakcją jest obracająca się platforma telekawiarni na wysokości 207 m.: przy kawie lub piwie goście mają cały Berlin u swoich stóp. Wieżę odwiedziło dotychczas 40 milionów gości.

Среди цветущих деревьев высоко вознесся в голубое небо великан среди всех берлинских строений. Это телебашня высотой 368,03 м вместе с антенной. Гигант сверхпоказателей: бетонная масса весит 26000 тонн, семиэтажный шар с телекафе и смотровым этажом – около 4800 тонн. Настоящим аттракционом является поворотная платформа телекафе на высоте 207 метров: за чашкой кофе или кружкой пива Берлин лежит у Вас в ногах. И еще один сверхпоказатель - с 1969 года по 2000 год здесь побывало почти 40 миллионов посетителей.

繁花丛树中插入蓝天的柏林建筑之巨人是柏林电视塔。加上天线总高为 368.03 米。它堪称巨人中的巨人：水泥块重 26 000 吨，7 层的球形建筑内含电讯咖啡厅和观望台，约重 4 800 吨。最引人入胜的是 207 米高处电讯咖啡厅里的旋转平台：伴着啤酒和咖啡，柏林城全然拜倒在脚下。还有一特别引人注目的记录 - 1969 年至 2000 年间已有近四千万人登上该电视塔参观。

Der Fernsehturm

Vier pralle Schönheiten aus Bronze vor dem Roten Rathaus. Die Damen, die auf dem Brunnenrand Platz genommen haben, sind nach Meinung des Volksmundes die einzigen Berlinerinnen, die stets den Rand halten. Sie gehören zum Neptunbrunnen und sind Symbole der Flüsse Rhein, Weichsel, Oder und Elbe. Reinhold Begas hat das vielbestaunte Kunstwerk geschaffen, das früher östlich vom Stadtschloß stand. 1969 zog der Meeresgott mit Gefolge, einst einer der größten Brunnen der Welt, zum jetzigen Standort.

Four voluptuous bronze beauties right in front of the Rotes Rathaus (Red Town Hall): These ladies seated at the fountain's edge are the only Berlin women, who always "keep their mouths shut," as Berliners quip. They are part of the Neptunbrunnen (Neptune Fountain) and symbolize the rivers Rhein, Weichsel, Oder, and Elbe. Reinhold Begas created this acclaimed work of art that once was located east of the City Palace. In 1969, the god of the seas and his entourage were moved to the present site.

Quatre beautés en bronze aux formes arrondies se tiennent devant la Mairie de Berlin. Les dames qui ont pris place sur le bord de la fontaine sont, selon l'avis du peuple les seules berlinoises qui savent tenir leur langue. Elles font partie de la fontaine de Neptune et symbolisent le Rhin, le Weichsel, l'Oder et l'Elbe. Reinhold Begas est l'auteur de cette œuvre si souvent admirée qui se trouvait jadis à l'est du château de la ville. En 1969, le dieu de la mer est venu s'installer avec ses compagnons sur son emplacement présent.

Cuatro hermosas figuras femeninas en bronce ensalzan el panorama de la atractiva fachada de ladrillo del Ayuntamiento. Las damas se aposentan en la Brunnenrad Platz, y son populares por ser berlinesas siempre en su puesto. Forman parte de la fuente de Neptuno y simbolizan las ninfas de los ríos Rhin, Weichsel, Oder y Elba. El creador de esta admirable obra situada antiguamente al este del palacio real, fue Reinhold Begas. En 1969 el dios de los mares fue trasladado con su corte a su actual emplazamiento.

Quattro bellezze formose di bronzo davanti al Municipio rosso. Le signore che hanno preso posto ai margini della fontana sono - secondo il gergo popolare – "le uniche berlinesi che tengono la bocca chiusa" (gioco di parole). Esse fanno parte della Fontana del Nettuno e sono simboli dei fiumi Reno, Vistola, Oder ed Elba. Lo scultore Reinhod Begas ha realizzato questa opera d'arte molto apprezzata che una volta era situata sul lato orientale dello Stadtschloß. Nel 1969 il dio del mare ed il suo seguito vennero trasferiti in questo luogo.

Przed Czerwonym Ratuszem widzimy cztery jędrne piękności z brązu. O damach, które zajęły miejsce na krawędzi fantanny, mówi się wśród berlińczyków, że to jedyne rodowite mieszkanki Berlina, które potrafią milczeć. Należą one do fontanny Neptuna i są symbolami rzek: Renu, Wisły, Odry i Łaby. Przez wielu podziwianą fontannę zaprojektował Reinhold Begas. Niegdyś znajdowała się ona obok Zamku Miejskiego. W roku 1969 bóg morza przeprowadził się ze swoimi damami na dzisiejsze miejsce.

Четыре полнокровные красавицы из бронзы перед Красной ратушей. Дамы, присевшие на край фонтана, считаются в народе единственными молчаливыми берлинками. Они входят в ансамбль фонтана Нептуна и символизируют реки Рейн, Вислу, Одер и Эльбу. Автором этой удивительной композиции, ранее стоявшей восточнее Городского дворца, является Р. Бегас. А переселился сюда бог морей со своей свитой в 1969 г.

红色市政厅（das Rote Rathaus）前的四个丰满的尤物是铜铸的。四个美妇坐在井边，民间戏称她们是柏林城唯一能总保持缄默的女人。她们本是海神井边的饰物，分别代表莱因（Rhein）、威希瑟尔（Weichsel）、俄得尔（Oder）和易北（Elbe）四河。她们是常受人惊叹的贝格斯（Reinhold Begas）的杰作，以前放在城市之宫的东面。1969 年海神和他的随从们迁到了现在的位置。

Das Rote Rathaus und Neptunbrunnen

Rund um die Nikolaikirche, deren zwei Turmspitzen aus den Häuserdächern emporragen, entstand 1987 zur 750-Jahr-Feier Berlins ein neues Viertel im alten Stil. Die DDR-Führung ließ historische Gebäude wie die Gaststätte „Nussbaum" und die Gerichtslaube nachbauen und schuf auf dem Reißbrett eine Altberliner Milieu-Insel mit Geschäften, Wohnungen und Gastronomie. Im Mittelpunkt das älteste Gotteshaus der Stadt, die um 1230 erbaute Nikolaikirche. Sie wird heute als Museum genutzt.

Surrounding Nikolaikirche (St. Nicholas Church) with its two soaring bell towers, a new city quarter in historic disguise was constructed in 1987, celebrating Berlin's 750th year anniversary. The East German regime had ordered the reconstruction of historic buildings such as the pub "Nussbaum" and the Gerichtslaube (Medieval Court) and thus created a planned island of old-style Berlin with shops, apartments and restaurants. The city's oldest church, the Nikolaikirche dating back to 1230, is standing at the heart of this quarter.

Tout autour de l'église de Nikolai dont les deux clochers dépassent les maisons environnantes un nouveau quartier a été construit en style ancien à l'occasion du 750ème anniversaire de la ville. Le gouvernement de la RDA a fait construire des reproductions de bâtiments historiques tel le plus ancien restaurant de la ville « Nussbaum » et l'ancien bâtiment qui servait jadis de palais de justice à la ville et a créé un centre rétro typiquement berlinois sur cette île avec des magasins, des logements et des restaurants.

Alrededor de la Nikolaikirche, cuyas dos torres sobresalen entre los tejados, se erigió en 1987 un nuevo barrio en estilo antiguo para conmemorar el 750 aniversario de la ciudad. Los dirigentes de la antigua RDA ya rehabilitaron algunos de los edificios históricos, como el mesón "Nussbaum" y la terraza de los Juzgados. Se creó además un idílico lugar al viejo estilo con tiendas, tabernas y viviendas típicas. Centro medular del complejo es la iglesia de San Nicolas, la más antigua de la ciudad, construida hacia 1230.

Intorno alla Chiesa di S. Nicola, i cui due campanili spiccano dai tetti delle case, venne creato nel 1987, in occasione dei festeggiamenti per il 750° anniversario della nascita di Berlino, un nuovo quartiere in stile antico. Il governo della RDT fece ricostruire edifici storici come la birreria "Nussbaum" e la Gerichtslaube e progettò al tavolino un'isola con l'ambiente della vecchia Berlino, con negozi, abitazioni e locali gastronomici. Al centro del quartiere la più antica chiesa della città, la Nikolaikirche, costruita intorno al 1230.

Wokół kościoła św. Mikołaja, którego dwie wieże wznoszą sie ponad dachami domów, powstała w roku 1987, z okazji jubileuszu 750-lecia miasta, zupełnie nowa dzielnica, wybudowana w starym stylu. Rząd NRD postanowił odbudować zniszczone historyczne gmachy, na przykład starą restaurację „Nussbaum" czy też „Gerichtslaube" i w ten sposób odtworzyć typową i tradycyjną staroberlińską wysepkę na Szprewie ze sklepami, mieszkaniami i gastronomią. W jej centrum góruje najstarszy kościół miasta, wybudowany około 1230 roku – kościół św. Mikołaja.

В 1987 году к 750-летию Берлина вокруг церкви Св. Николая с двумя остроконечными башнями, высящимися над крышами жилых домов, возник новый квартал в старом стиле. Руководство ГДР восстановила исторические здания ресторана «Ореховое дерево» и Судебный домик, а магазины, квартиры и рестораны были стилизованы под былые времена. В центре стоит старейшая церковь Св. Николая постройки 1230 г.

在尼克莱教堂（Nikolaikirche）这幢带有两个从楼顶凸出的尖塔的建筑周围，1987 年为庆祝柏林城 750 周岁生辰，新成了一个古典风格的小区。当时的东德政府重建了部分历史建筑例如"核桃树"小酒店和法庭酒家等，恢复了一个旧柏林风格的小区，包括商店、居民楼和餐厅。它的中心是柏林城最老的尼克莱教堂，成建于 1230 年。

Hausfront am Nikolaiviertel

Berlins schönster Platz, der Gendarmenmarkt. Fotografiert mit dem heutigen Konzerthaus (1821 von Schinkel als Schauspielhaus erbaut) und dem Französischen Dom, daneben die kleine Französische Friedrichstadtkirche. Friedrich der Große hatte die Idee, den Platz zu einem Festsaal unter offenem Himmel zu gestalten. Sein Baumeister Karl von Gontard entwarf die beiden 70 Meter hohen, weithin sichtbaren Kuppeltürme, Französischer und Deutscher Dom (letzterer nicht sichtbar) genannt.

Berlin's most beautiful square is the Gendarmenmarkt: This photograph shows the Konzerthaus (Concert Hall), built in 1821 by Schinkel as Schauspielhaus (Theatre Hall) and the Französischer Dom (French Cathedral) with the adjoining, smaller Französische Friedrichstadtkirche. It was Frederick the Great, who had the farsightedness to model the square as an open-air concert hall. His architect Karl von Gontard also designed the two 70 metres high cupola towers of the Französischer and Deutscher Dom (not visible here).

La plus belle place de la ville, le Gendarmenmarkt, prise de vue avec l'actuel Konzerthaus (construit en 1821 par Schinkel comme Schauspielhaus (théâtre), le Dôme français et à ses côtés la petite église française « Friedrichstadtkirche ». Frédéric le Grand désirait que la place soit agencée comme une salle des fêtes en plein air. Son architecte, Karl von Gontard a effectué les plans de deux tours hautes de 70 mètres surmontées d'une coupole, connues sous le nom de Dôme français et Dôme allemand (ce dernier n'est pas visible sur la photo).

La plaza más emblemática de Berlín, la Gendarmenmarkt. Fotografiada con la sala de conciertos tal y como es hoy (construida por Schinkel en 1821 para servir como teatro) y la catedral francesa, a su lado la pequeña iglesia francesa Friedrichstadtkirche. Federico el Grande tuvo la idea de convertir la plaza en patio de festivales al aire libre. Su constructor Karl von Gontard concibió las dos torres con cúpulas de 70 metros y las bautizó catedrales francesa y alemana (esta última no se ve aquí).

Il Gendarmenmarkt: la piazza più bella di Berlino. Fotografata con l'odierna Konzerthaus (costruita nel 1821 da Schinkel) ed il Duomo francese, con accanto la piccola Chiesa francese di Friedrichstadt. Il re prussiano Federico il Grande ebbe l'idea di sistemare la piazza come un salone a cielo aperto. Il suo architetto, Karl von Gontard, progettò le due torri con la cupola alte 70 metri, chiamate Duomo Francese e Duomo Tedesco (quest'ultimo non visibile).

Najpiękniejszy plac w Berlinie – Gendarmenmarkt. Na fotografii wraz z dzisiejszą Salą Koncertową (wybudowaną przez Schinkela w roku 1821 jako teatr) i katedrą Francuską, obok niej mały kościół francuski (Friedrichstadtkirche). Fryderyk Wielki wpadł na pomysł, żeby cały plac stał się jedną, uroczystą salą koncertową pod odkrytym niebem. Jego architekt Karl von Gontard zaprojektował obie, zwieńczone kopułami o wysokości 70 metrów, budowle nazwane katedrami Francuską i Niemiecką (niemiecka niewidoczna).

Жандармская ярмарка, самая красивая площадь Берлина. На фотографии концертный зал (построен в 1821 г. Шинкелем как драмтеатр) и Французский собор, а рядом небольшая французская церковь Фридрихштадткирхе. Фридрих Великий хотел придать этой площади вид праздничного зала под открытым небом. Его зодчий К. Гонтард построил две 70-метровые купольные башни, Французский и Немецкий соборы (последнего на снимке нет).

柏林最美的广场　宪兵广场（Gendarmenmarkt）。图片还包括了今天的音乐厅（Konzerthaus, 1821 年由申克尔建成，当时名演艺厅 Schauspielhaus）和法国大教堂（der Französische Dom）以及旁边的小法国弗德烈城教堂。弗德列大帝曾有意将这个广场建成一个开放式的宴会厅。他的建筑师封刚特德（Karl von Contard）设计了两个圆顶塔楼，名为法国和德国大教堂（后者图片上看不到）。

Der Gendarmenmarkt

Im Schmuck einer schönen Grünanlage präsentiert sich höchst fotogen viele Kilometer von der Stadtmitte entfernt das Schloß Friedrichsfelde. Prominentester Bewohner war Prinz August Ferdinand von Preußen, dem wir bereits im Schloß Bellevue begegnet sind. Heute wird das Schloß vom Stadtmuseum Berlin genutzt und zeigt kostbare Möbel, Bilder und Porzellane. Nachbar ist unter dem Namen Tierpark Friedrichsfelde einer der beiden Berliner Zoologischen Gärten.

Surrounded by pretty greenery far away from the bustling downtown, the Schloss Friedrichsfelde is presenting itself as a appealing photo opportunity. Its most prominent occupant was Prince August Ferdinand of Prussia, who also lived at the Schloss Bellevue. Today, the city is used by the City History Museum Berlin and shows precious furniture, paintings, and porcelain. Its neighbour is the Tierpark Friedrichsfelde, the second, East Berlin zoo of the city's two animal parks.

A de nombreux kilomètres du centre ville, le château de Friedrichsfelde se présente dans une pose photogénique, dans l'écrin vert d'un parc. Son habitant le plus connu était le Prince August Ferdinand de Prusse que nous avons déjà rencontré dans le Château de Bellevue. De nos jours, le château est utilisé par le musée municipal de Berlin et on peut y admirer des meubles de valeur, des tableaux et des objets en porcelaine. Dans le voisinage se trouve le parc animalier de Friedrichsfelde, un des deux zoos de Berlín.

Inmerso en un frondoso parque se presenta a los amantes de la fotografía el palacio Friedrichsfelde, una joya arquitectónica a varios kilómetros del centro de la ciudad. El inquilino que la habitó fue el príncipe de Prusia Augusto Fernando, al que encontramos en nuestra excursión por el palacio de Bellevue (Buena Vista). Este palacio, hoy Museo de la Ciudad de Berlín, muestra preciosas colecciones de muebles, pinturas y porcelanas. Muy cerca está el Parque Zoológico de Friedrichfelde, uno de los dos que existen en Berlín.

Circondato da un bel giardino, a molti chilometri dal centro della città, lo Schloss Friedrichsfelde si presenta in maniera molto fotogenica. L'inquilino più importante fu il principe Ferdinando di Prussia, già incontrato nello Schloss Bellevue. Oggi esso viene utilizzato dal Museo della città di Berlino e presenta preziosi mobili, quadri e porcellane. Nelle vicinanze, sotto il nome di Tierpark Friedrichsfelde, è situato uno dei due parchi zoologici di Berlino.

W dekoracji pięknych, zielonych ogrodów prezentuje się bardzo fotogenicznie. Pałac Friedrichsfelde położony jest kilka kilometrów od cetrum miasta. Jego najbardziej wybitnym mieszkańcem był książę August Ferdinand von Preußen, z którym spotkaliśmy się już w pałacu Bellevue. Dzisiaj w pałacu mieści się Muzeum Miejskie Berlina, w którym można zobaczyć drogocenne meble, obrazy i porcelanę. Jego sąsiadem jest jeden z dwóch berlińskich ogrodów zoologicznych – ZOO Friedrichsfelde.

Фотогенно вписывается в убранство прекрасного паркового ансамбля замок Фридрихсфельде, находящийся за много километров от центра города. Самым известным его жильцом был принц Август Фердинанд Прусский, уже встречавшийся нам во дворце Бельвю. Сегодня зданием пользуется Городской музей Берлина. Здесь выставлены дорогая мебель, картины и фарфор. По соседству находится берлинский зоопарк Тирпарк Фридрихсфельде.

离城市中区数公里远的弗德列菲尔德宫（Schloß Friedrichsfelde）在美丽的绿树花园的陪衬下非常上镜。它最著名的居住者是普鲁士的费帝南王子，我们已通过美景宫认识过他。今天它是柏林城市博物馆的所在地，展出很有价值的家具、绘画、还有陶瓷作品。该宫殿的旁边是弗德列菲尔德动物公园，它是柏林城的两动物园之一。

Das Schloß Friedrichsfelde

Denkwürdige preußische Geschichte hat das Schloß Köpenick gesehen, das nach gründlicher Restaurierung im Frühjahr 2004 wieder als Museum für Besucher öffnete. Entworfen hat den 1681 vollendeten Bau der holländische Architekt Rutger van Langervelt. Im reichgeschmückten Wappensaal verhandelte 1730 das Kriegsgericht über den Kronprinzen Friedrich (den späteren König Friedrich II.) und seinen Freund Hans Hermann von Katte, der dem Thronfolger bei der geplanten Flucht helfen wollte.

The Schloss Köpenick has witnessed its share of Prussian history. It was designed by Dutch architect Rutger van Langervelt in 1681. In 1730, in its richly decorated arms-and-coats hall, a military court held its proceedings against crown prince Frederick (later to become King Frederick II., the Great) and his friend Hans Hermann von Katte, who had wanted to help the heir to the throne trying to escape his tyrant father. The palace is reopened as arts and crafts museum in spring 2004.

Le château de Köpenick a été le témoin d'une des scènes les plus mémorables de l'histoire prussienne. Après avoir subi une complète restauration, il a rouvert ses portes pour le visiteur au printemps 2004 en tant que Musée d'art. Cet édifice dont la construction s'est achevée en 1681 a été bâti sur les plans de l'architecte hollandais Rutger van Langervelt. Dans la salle des armoiries abondamment s'est tenu le conseil de guerre du Prince héritier (le futur roi Frédéric II) et son ami Hans Hermann von Katte.

El palacio de Köpenick, escenario de memorables actos de la historia prusiana, volverá a abrir sus puertas en la primavera de 2004. Ahora es residencia-museo. La construcción data de 1681 y se realizó siguiendo el diseño del arquitecto holandés Rutger van Langervelt. En la sala heráldica, ampliamente engalanada, se reunió el consejo de guerra en 1730 para decidir de la suerte del príncipe Federico (más tarde Federico II) y su amigo Hans Hermann von Katte que había ayudado al heredero al trono en su huida.

Lo Schloss di Köpenick è stato testimone di memorabile storia prussiana: dopo un'accurato restauro, nel febbraio 2004, il museo è stato di nuovo aperto al pubblico. La costruzione venne progettata dall'architetto olandese Rutger van Langervelt e portata a termine nel 1681. Nell'anno1730, nella sala degli stemmi riccamente decorata, il tribunale di guerra dibattè a proposito del principe ereditario Federico (il futuro Federico II) ed il suo amico Hans Hermann von Katte, il quale voleva aiutare il pretendente al trono nel suo tentativo di fuga dalla Prussia.

Pałac Köpenick, otwarty dla zwiedzających po gruntownym remoncie na początku 2004 roku, był świadkiem pamiętnej historii Prus. Zaprojektował go holenderski architekt Rutger van Langervelt, budowa ukończona została w 1681 roku. W bogato ozdobionej Sali Herbowej obradował w roku 1730 sąd wojenny w sprawie księcia koronnego Fryderyka (późniejszego króla Fryderyka II) i jego przyjaciela Hansa Hermanna von Katte, który zamierzał pomóc następcy tronu w zaplanowanej ucieczce.

Памятное событие прусской истории произошло в замке Кёпеник, который весной 2004 г. после обширной реставрации вновь откроется для посетителей. Замок построен в 1681 г. по проекту голландского архитектора Рутгера ван Лангервельта. В 1730 г. в богато украшенном гербовом зале замка разбиралось в военном суде дело кронпринца Фридриха (будущего короля Фридриха II) и его друга Ганса Германа фон Катте, собиравшегося помочь престолонаследнику бежать.

克佩尼克宫（das Schloß Köpenick）曾经历了普鲁士最值得纪念的历史，它经过彻底地翻修后于 2004 年春作为博物馆对游客开放。它是在 1681 年由荷兰建筑师范浪格魏特（Rutger van Langervelt）设计完成。在装饰豪华的徽章厅内，1730 年的战争法庭曾审理弗德列太子（以后的弗德列二世）和他的朋友 – 希望帮助太子出逃的封卡特（Hermann von Katte）。

Das Schloß Köpenick

In der Nähe vom Ostbahnhof hat das längste noch vorhandene Stück Mauer bisher alle Abrisspläne und die Attacken hämmernder „Mauerspechte" überstanden. Auf einer Länge von 1.300 Metern ist das Beton-Bollwerk, Symbol für Teilung und Trennung, stehen geblieben und zeigt sich an der Mühlenstraße als vielfotografierte East Side Gallery – leider mit Verfall. Fast 120 Künstler aus 21 Ländern haben sich verewigt, darunter Dmitri Vrubel mit dem „Bruderkuss" zwischen Breschnew und Honecker.

Close to the Ostbahnhof (East Railway Station) the longest, 1,300 metres section of the Berlin Wall has survived the hammering work of the "Mauerspechte" ("concrete peckers," Berliners demolishing the wall). This section is a symbol for the city's division and is now known as the much photographed East Side Gallery along Mühlenstrasse. Almost 120 artists from 21 countries have created paintings on the wall, among them is Dmitri Vrubel's "brother kiss" between Brezhnev and Erich Honecker, as well as Birgit Kinder's East German "Trabbi" car breaking through the wall.

A proximité de la gare de l'est (Ostbahnhof) se trouve le seul pan de mur d'une telle longueur qui ait subsisté à tous les travaux de démolition et les attaques des « pics-vert » pour obtenir un morceau de mur. Sur une longueur de 1300 mètres la construction en béton encore sur place, symbole de division et séparation, est une des attractions les plus photographiées le long de la Mühlenstraße. La East Gallery tombe malheureusement en ruine. Plus de 120 artistes venant de 21 pays y ont laissé leur empreinte.

Cerca de la Ostbahnhof ha sobrevivido a las iras populares y los demoledores martillazos el trozo de muro más grande que aún se conserva. Con una longitud de 1.300 metros este bastión de hormigón, símbolo de la división alemana, ha resistido y queda como simbólica reliquia: En la Mühlenstraße es la obra más fotografiada, también llamada East Side Gallery. Cerca de 120 artistas de 21 países se han hecho inmortales, entre ellos Vrubel con "Beso de hermanos" y Birgit Zinder con un Trabbi que atraviesa el muro.

Nelle vicinanze dell'Ostbahnhof, il più lungo tratto di muro ancora esistente ha superato finora tutti i piani di demolizione e gli attacchi dei "picchi del muro" con il loro martelletti. Su una lunghezza di 1.300 metri, il baluardo di calcestruzzo, simbolo di divisione e separazione, è rimasto intatto e si presenta oggi come la East Side Galerie, amata dai fotografi, ma già con segni di decadimento. Circa 120 artisti di 21 nazioni si sono qui immortalati con le loro opere: ricordiamo il "bacio fraterno" tra Breschnew ed Honecker e la Trabant che attraversa il muro.

Najdłuższy, istniejący jeszcze kawałek muru w pobliżu dworca Ostbahnhof przetrwał mimo planów zrównania go z ziemią i działań tzw. „dzięciołów". Na długości 1300 metrów zachował się betonowy wał, symbol podziału i rozłąki, który przy ulicy Mühlenstraße jest najczęściej fotografowaną galerią miasta – East Side Gallery – niestety ulegającą powolnemu zniszczeniu. Niemal 120 artystów plastyków z 21 krajów uwieczniło się tutaj, m.in. Dmitri Vrubel swoim „braterskim pocałunkiem" między Breżniewem a Honeckerem.

Недалеко от Восточного вокзала уцелел несмотря на все планы сноса и атаки долбящих «стенных дятлов» самый длинный отрезок Берлинской стены. Этот бетонный бастион длиной 1300 метров, символ разделения и разлуки, превратился со стороны Мюленштрассе в открытую галерею East Side Gallery, приходящую, к сожалению, в упадок. Около 120 художников из 21 страны увековечили на стене свои картины, среди них картина Дмитрия Врубеля «Братский поцелуй» Брежнева и Хонекера.

柏林东站附近最长的一段柏林墙迄今为止经受住了所有拆墙计划以及各种"啄墙鸟"的进攻而留存下来。这个长 1300 米的混凝土铸成的要塞，作为分裂和统一的象征，屹立在磨坊街上（Mühlenstraße），成为展现东部的博物馆，经常被人拍照，- 可惜已受到一定损坏。来自 21 个国家的大约 120 位艺术家让自己在这堵墙上名垂千史。其中有弗鲁勃（Dmitri Vrubel）的描述布里兹涅夫和昂纳克相拥的作品"兄弟之吻"以及金德（Birgit Kinder）绘制的东德小车"特拉比"。

Die East Side Gallery

Ungewöhnliche Architektur an der Lindenstraße im Bezirk Kreuzberg. In den spröden Umrissen eines zerbrochenen Davidsternes entwarf Daniel Libeskind den Neubau des Jüdischen Museums. Die einzelnen Baukörper, die ein Zickzackband bilden, sind mit grauem Zinkblech verkleidet. Fachleute sprechen von einer „zukunftweisenden Meisterleistung sinnbildhafter Architektur". Einbezogen in das Museum ist der Barockbau für das ehemalige Berlin Museum.

A rather exceptional kind of architecture on Lindenstrasse in Kreuzberg: Daniel Libeskind designed the new Jüdisches Museum (Jewish Museum) as a rather sober-looking building resembling a broken Jewish star. The individual wings of the building are forming a zigzag band, hidden behind a zinc clad façade. Experts call this a "trendsetting masterpiece of symbolic architecture." The baroque building formerly housing the Berlin Museum is now part of the new museum.

Une architecture qui sort de l'ordinaire dans l'arrondissement de Kreuzberg dans la Lindenstraße. C'est dans les traces effacées de l'étoile juive que Daniel Libeskind a dessiné la nouvelle bâtisse du Musée Juif. Les différents bâtiments qui forment un ruban en zigzag sont entourés de zinc grisâtre. Les experts parlent d'une œuvre artistique pleine d'avenir qui symbolise l'architecture. L'ancienne construction baroque dans laquelle se trouvait le Musée de Berlin a été intégrée dans la nouvelle bâtisse.

Una arquitectura poco corriente encontramos en la Lindenstraße del berlinés distrito de Kreuzberg. Sobre el resquebrajado perfil de una estrella de David rota imaginó Daniel Libeskind el nuevo Museo Judío. Las diversas edificaciones que forman una moldura arquitectónica en zigzag, están revestidas con chapa de cinc. Los especialistas comentan que se trata de "Una arquitectura alegórica magistralmente lograda que apunta hacia el futuro". En el museo se ha incluido el antiguo edificio barroco para el Museo de Berlín.

Architettura particolare nella Lindenstrasse nel quartiere di Kreuzberg. Con i tratti discontinui di una stella di David spezzata, Daniel Libeskind progettato la nuova costruzione del Museo ebraico. I singoli elementi costruttivi, che costituiscono una specie di nastro a zigzag, sono rivestiti di lamiera di zinco grigia. Gli esperti parlano di un "capolavoro di architettura simbolica orientata verso il futuro". L'edificio barocco, che era un tempo adibito a Museo di Berlino, è stato inserito nel Museo ebraico.

Niezwykła architektura przy ulicy Lindenstraße w dzielnicy Kreuzberg. W ostrych konturach roztrzaskanej gwiazdy Dawida Daniel Liebeskind zaprojektował nowy gmach Muzeum Żydowskiego. Pojedyncze części tego budynku pokryte są blachą cynkową i tworzą zygzakowaty pas. Eksperci twierdzą, że kompleks ten to: „wskazujące i wybiegające w przyszłość, mistrzowskie osiągnięcie symbolicznej, archtektury obrazowej". Muzeum Żydowskie połączone jest z barokowym budynkiem Muzeum Berlina.

Необычная архитектура на улице Линденштрассе в районе Кройцберг. Разорванную звезду Давида с хрупкими контурами напоминает новое здание Еврейского музея архитектора Даниэля Либескинда. Зигзагообразно установленные блоки облицованы серой цинковой жестью. Мнение специалистов: «мастерская работа, предвосхищающая будущее символической архитектуры.»

十字坡城区菩提树街的建筑风格很特别。厉博斯肯特（Daniel Libeskind）为犹太博物馆设计的新楼勘嵌在一颗断裂的大卫六角星的夹缝中。多个镶着灰色辛薄板的分体合成这个锯齿形的建筑。行家们认为“它是反映未来形象建筑的经典之作。”柏林博物馆的原巴洛克建筑现迁入这幢新楼。

Das Jüdische Museum

Allied Checkpoint. Einst, im Kalten Krieg, ein weltberühmter Ort. An der Grenze zwischen Kreuzberg (seinerzeit West-Berlin) und dem Bezirk Mitte (früher Ost-Berlin) bestand nach dem Mauerbau der einzige Übergang für Angehörige der Alliierten, Ausländer und Diplomaten. Im Herbst 1961 standen sich am damaligen Checkpoint Charlie zwei Tage lang amerikanische und russische Panzer gegenüber – es lag ein gefährliches Knistern in der Berliner Luft, die Welt hielt den Atem an.

During the Cold War, this Allied Checkpoint, affectionately called "Charlie," was a world-famous site. At the border of the districts of Kreuzberg (formerly West Berlin) and Mitte (formerly East Berlin) was the only border checkpoint for Allied soldiers, foreigners, and diplomats. In fall 1961, U.S. and Soviet tanks were aiming at each other right here – a full two days of suspense; a sudden feeling of danger was in the Berlin air, and the whole world would hold its breath.

Allied Checkpoint, jadis, au temps de la guerre froide, était un lieu renommé. A la frontière entre Kreuzberg (se trouvant alors à Berlin-Ouest) et l'arrondissement de Mitte (avant à Berlin-Est), c'était, après la construction du mur, le seul point de passage pour les membres des troupes alliées, les étrangers et les diplomates. En automne 1961, des chars américains et russes se sont fait face deux jours durant à cet endroit – l'air berlinois y était particulièrement tendu, et le monde entier retenait son souffle.

Allied Checkpoint: Control aliado. Durante la guerra fría uno de lugares más calientes de Berlín. Era la frontera de la ciudad dividida entre los distritos de Kreuzberg (Berlín occidental) y Mitte (Berlín oriental): El único punto por el que pasar el famoso muro que sólo podían cruzar los aliados, los extranjeros y los diplomáticos. En otoño de 1961 en el Checkpoint Charlie tanques soviéticos y blindados norteamericanos tomaron durante dos días posiciones frente a frente: El aire de Berlín estaba cargado de tensión bélica.

Allied Checkpoint. Un tempo, durante la guerra fredda, era un luogo famoso in tutto il mondo. Alla frontiera tra Kreuzberg (un tempo Berlino-Ovest) ed il distretto di Mitte (un tempo Berlino-Est) c'era, dopo la costruzione del muro. l'unico punto di passaggio per appartenenti a forze alleate, stranieri e diplomatici. Nell'autunno 1961, qui dove allora c'era il Check Point Charlie, si sono fronteggiati per due giorni i carri armati americani e russi; in quella occasione, nell'aria di Berlino si percepiva un pericoloso schricciolo ed il mondo trattenne il respiro.

Allied Checkpoint (przejście graniczne dla aliantów). Kiedyś, w czasie zimnej wojny, miejsce znane na całym świecie. Na granicy dzielnicy Kreuzberg (dawniej Berlin Zach.) z dzielnicą Centrum (dawniej Berlin Wsch.) po wybudowaniu muru znajdowało się tu jedyne przejście graniczne dla aliantów, obcokrajowców i dyplomatów. Jesienią 1961 roku na tym przejściu granicznym przez dwa dni stały naprzeciwko siebie amerykańskie i sowieckie czołgi – w berlińskim powietrzu czuć było niebezpieczny chrzęst gąsienic, cały świat wstrzymał wtedy oddech.

Allied Checkpoint. Всемирно известное место во времена холодной войны. На границе между районами Кройцберг (Западный Берлин) и Митте (Восточный Берлин) находился после постройки Берлинской стены единственный КПП для союзников, иностранцев и дипломатов. Осенью 1961 г. на тогдашнем Чекпойнт Чарли два дня противостояли друг другу американские и русские танки – атмосфера в Берлине опасно накалилась, весь мир затаил дыхание.

盟军检查站。在冷战时期，一个世界闻名的地名。位于十字坡（Kreuzberg 原西柏林）和中区（Mitte 原东柏林）间，曾是柏林墙建成后盟军人员、外国人及外交使节的唯一通道。1961 年秋天美军和俄军坦克对垒于当时的查理检查站（Checkpoint Charlie）两天之久　柏林处于危急状况，全世界都为此摒住了呼吸。

„Checkpoint Charlie"

Wer die Leipziger Straße in Richtung Potsdamer Platz entlang fährt oder läuft, erblickt schon von weitem diese drei Wolkenkratzer als „Tor" aus Glas, Stein und Beton. Es sind von links nach rechts das Bürohaus von Renzo Piano, das mit rotbraunem Klinker verkleidete Büro- und Geschäftshaus von DaimlerChrysler (Architekt Hans Kollhoff) und das zur Zeit von der Deutschen Bahn genutzte Hochhaus von Helmut Jahn. Entstanden ist das neue Stadtquartier auf Grund eines weltweit ausgeschriebenen Wettbewerbs.

Walking down Leipziger Straße towards the Potsdamer Platz, you will see these three skyscrapers, a "gate" made of glass, stone and concrete. These are (left to right) the office tower by Renzo Piano, the DaimlerChrysler office and business tower with its redbrick façade, by Hans Kolhoff and the highrise by Helmut Jahn, occupied by Deutsche Bahn. The new city quarter was built after a worldwide architectural competition that aimed at creating a vibrant quarter of shopping, entertainment, culture, business, offices and apartments.

Toute personne longeant la Leipziger Straße en direction de la Place de Potsdam, que cela soit à pied ou en voiture, découvre de loin ces trois tours en verre, pierre et béton. Ce sont, de gauche à droite, les bureaux de Renzo Piano, le bâtiment des bureaux et du magasin en clinker rouge de Daimler-Chrysler (architecte H. Kollhoff) et la tour de Helmut Jahn actuellement utilisée par la Deutsche Bahn. Ce nouveau quartier a fait l'objet d'un concours mondial d'architecture prévoyant la construction d'un centre à la fois commercial et culturel.

Si enfilamos la Leipziger Straße en dirección a la Potsdamer Platz avistamos tres rascacielos con silueta de cristal, piedra y hormigón. Estamos contemplando el edificio de Renzo Piano, revestido de ladrillo recocido, la sede de DaimlerChrysler (de Hans Kollhoff) y el rascacielos que actualmente ocupan los Ferrocarriles Alemanes de Helmut Jahn. Este conjunto arquitectónico surgió de un concurso internacional para ambientar este punto neurálgico y convertirlo en lugar de compras, ocio, cultura y negocios.

Chi percorre la Leipziger Strasse in direzione Potsdamer Platz vede già da lontano questi tre grattacieli come una specie di "Porta" di vetro, pietra, e calcestruzzo. Sono, da sinistra a destra, il palazzo per uffici di Renzo Piano, il palazzo comerciale della Daimler-Chrysler, rivestito di clinker di color rosso scuro, (di Hans Kohlhoff) ed il grattacielo (di Helmut Jahn), oggi utilizzato dalla Deutsche Bahn. Il quartiere è nato in seguito ad un concorso internazionale che prevedeva la combinazione di negozi, tempo libero, cultura, centri commerciali, abitazioni ed uffici.

Kto przemieszcza sie wzdłuż ulicy Leipziger Straße w kierunku placu Poczdamskiego, temu już z daleka rzucają się w oczy trzy drapacze chmur, tworząc jakby „bramę" ze szkła, kamienia i betonu. Są to, od lewej: biurowiec architekta Renzo Piano, biurowiec koncernu DaimlerChrysler (architekt H. Kollhoff) z fasadą pokrytą brązowym klinkierem i dalej wieżowiec użytkowany aktualnie przez Koleje Niemieckie, według projektu H. Jahna. Cała ta nowa dzielnica powstała w wyniku konkursu architektonicznego.

Идя по улице Лейпцигер Штрассе к Потсдамской площади, уже издали видишь «ворота», три небоскреба из стекла, камня и бетона. Это слева направо: офисное здание Ренцо Пиано, облицованное красно-бурым клинкером здание фирмы Даймлер-Крайслер архитектора Ганса Кольхофа и высотный дом архитектора Гельмута Яна, снимаемый в настоящее время фирмой Дойче Бан. Новый городской квартал возник на базе международного тендера, предусматривающего строительство оживленного центра.

从莱比锡街（Leipziger Straße）驾车或步行往波茨坦广场方向，在远处即可看见用玻璃、石头和水泥铸成的三幢大厦，象一扇大门。它们从左至右分别是皮亚诺（Renzo Piano）设计的办公楼、红褐色外砖的戴姆勒克莱斯勒（DaimlerChrysler）公司写字楼（由建筑师可尔核夫 Kollhoff 设计）以及目前德国铁路局占用的庄申设计的高楼。这个城市小区的诞生背景是通过世界性的竞赛，征集修建一个集购物，休闲，文化，商务，居民楼和办公楼为一体的居民区。

Der Potsdamer Platz

Zum dem neuen Berlin gehört ein Ort, den die Berliner schnell angenommen haben und den kein Tourist auslassen sollte. Es ist das Sony Center am Potsdamer Platz mit dem vom deutsch-amerikanischen Architekten Helmut Jahn konzipierten Forum (Sony Plaza) einschließlich Cafés, Restaurants, Kinos und Geschäften. Unter einem markanten zeltartigen Dach trifft man sich wie einst an der Normaluhr vom Bahnhof Zoo, begleitet von Wasserspielen, Musik und farbigen Lichteffekten.

One of the stars of the new Berlin is a site that Berliners truly love and that no tourist should forget to pay a visit to – the Sony Center on Potsdamer Platz. The forum (Sony Plaza) designed by German-American architect Helmut Jahn with its cafés, restaurants, movie theatres and shops spreads under a distinctive, tent-like roof. It has become a popular meeting point (similar to the historic meeting point at the Zoo station) right in the middle of water fountains, music and colourful light effects.

Un lieu faisant partie du nouveau Berlin qui a été rapidement accepté par les berlinois et doit absolument être inclus dans le programme de chaque touriste est le Sony Center sur la place de Potsdam. Cet édifice dessiné par l'architecte germano-américain Helmut Jahn comporte un forum (la Sony plaza) abritant des cafés et restaurants, un cinéma et de nombreux magasins. Sous ce toit en forme de chapiteau, les visiteurs se rencontrent comme l'on se rencontrait jadis sur la place de la gare de Bahnhof Zoo dans un cadre musical accompagné par des jeux d'eau.

En este Berlín existe un enclave que los berlineses han recibido con entusiasmo y es toda una atracción turística. El Sony Center de la Postdamer Platz con el foro, un espacio realizado por el americano-alemán Helmuth Jahn (Sony Plaza) en el que se encuentran cafeterías, restaurantes, cines y boutiques. Bajo una estilizada techumbre se reúne un mundillo divertido, como se hacía antaño bajo el reloj de la Bahnhof Zoo, acompañan su entretenido ocio danzarinas fuentes, juegos de agua, música y vistosos efectos de luz.

Della nuova Berlino fa parte un luogo che i berlinesi hanno subito accettato e che nessun turista dovrebbe tralasciare. E` il Sony Center nella Potsdamer Platz, con il Foro concepito dall'architetto tedesco-americano Helmut Jahn (Sony Plaza), comprendente caffè, ristoranti, cinema e negozi. Sotto un imponente tetto a forma di tenda ci si può incontrare, così come un tempo davanti all'orologio del Bahnhof Zoo, con l'accompagnamento di giochi d'acqua, musica ed effetti di luce a colori.

W nowym Berlinie jest takie miejsce, które berlińczycy szybko zaakceptowali, i którego nikt nie powinien przegapić. Jest to Centrum Sony na placu Poczdamskim, zaprojektowane przez niemiecko-amerykańskiego architekta Helmuta Jahna jako Forum (Sony Plaza) wraz z kawiarniami, restauracjami, kinami i sklepami. Pod niezwykle orginalnym, przypominającym namiot dachem można się tu umówić w otoczeniu tryskających fontann, muzyki i barwnych efektów świetlnych, tak jak to się kiedyś robiło przy zegarze dworca ZOO.

В новом Берлине есть место, быстро полюбившееся берлинцам. Посетить его просто необходимо. Это Сони Центр на Потсдамской площади с форумом Сони Плаца, построенным немецко-американским архитектором Г. Яном, с кафе, ресторанами, кинотеатрами и магазинами. Здесь встречаются под оригинальной шатрообразной крышей, как когда-то под часами вокзала Цоо, послушать музыку, полюбоваться каскадами фонтана и красочными световыми эффектами.

新柏林有一个新去处很快得到人们的喜爱，亦属旅游者必游之地，它就是索尼中心（Sony Center），位于波茨坦广场，包括由德裔美籍建筑师庄申（Helmut Jahn）设计的社区（索尼广场）、及附属的各式咖啡厅、餐厅，影院以及商店。从前惯于在动物园火车站大钟前约会的人们如今更爱在喷泉、音乐和彩灯的陪伴下，到这个棱角分明的帐篷式楼宇下碰面。

Die Sony Plaza am Potsdamer Platz

Eines der populärsten Wahrzeichen des neuen Berlin ist die Kuppel über dem Reichstagsgebäude geworden, die in der Dunkelheit stimmungsvoll leuchtet. Der britische Stararchitekt Sir Norman Foster entwarf die Glashaube über dem Plenarsaal des Deutschen Bundestages. Wer unten geduldig ansteht – ein Tag ohne Besucherschlange hat Seltenheitswert – wird für das Warten angemessen belohnt. Er kann über eine 230 Meter lange, gewundene Rampe die Kuppel „erklimmen".

One of Berlin's most popular landmarks is the Reichstag cupola, an atmospheric, bright sight at night. British star architect Sir Norman Foster designed the glass cupola above the parliamentary chamber of the Deutsche Bundestag, the federal German parliament. If you wait patiently in line (a day without a line is extremely rare, though) you will be rewarded with a magnificent view: You can walk up the 230 metres long, curved ramp inside the cupola, relax at 40 metres above the round, and take in a bird's eye view of Berlin.

Un des symboles les plus populaires du nouveau Berlin est la coupole du Reichstag qui éclaire la nuit. L'architecte britannique renommé, Sir Norman Foster, a dessiné les plans de cette coupole en verre qui domine la salle plénière du parlement allemand. Celui qui prend patience et fait la queue – ne pas avoir à faire la queue, quel que soit le jour de la semaine, est une exception – sera largement récompensé pour sa patience. La coupole est accessible par une rampe longue de 230 mètres qui monte en spirale.

Un rasgo que identifica al nuevo Berlín es la transparente cúpula del Reichtag que en la oscuridad irradia su luz. El arquitecto británico, Norman Foster, fue el encargado de diseñarla para llenar de luz el Parlamento Alemán. Si nos decidimos a visitarla, hay que hacer cola, esperar y "trepar" por una rampa de caracol de 230 metros hasta la cúpula. Tras la heroica "escalada" y desde el imponente mirador, a 40 metros de altura, contemplamos Berlín a vista de pájaro

Uno dei simboli più popolari della nuova Berlino è diventata la cupola sull'edificio del Reichstag che nell'oscurità riluce in maniera suggestiva, Il famoso architetto Sir Norman Foster ha progettato la cupola di vetro sopra la sala plenaria del Parlamento tedesco. Chi pazientemente fa la coda davanti all'ingresso – un giorno senza code di visitatori è raro – viene adeguatamente ricompensato per la lunga attesa: tramite una rampa sinuosa si può "dare la scalata" alla cupola e poi, in tutta calma, ammirare dall'alto tutta la città.

Jednym z najbardziej popularnych symboli nowego Berlina stała sie kopuła nad gmachem Reichstagu, która po zapadnięciu zmroku jest nastrojowo podświetlona. Sławny brytyjski architekt, sir Norman Foster, zaprojektował tę szklaną kopułę nad salą plenarną niemieckiego Bundestagu. Ten, kto na dole cierpliwie poczeka w kolejce – a dni bez kolejki są bardzo rzadkie – temu czas oczekiwania będzie odpowiednio wynagrodzony. Wędrując 230-metrową, zakręconą rampą można „zdobyć" szczyt kopuły.

Одним из самых популярных символов нового Берлина стал купол над зданием Рейхстага, празднично светящийся в темноте. Стеклянный купол над Пленарным залом немецкого Бундестага построен по проекту популярного английского архитектора сэра Н. Фостера. Кто терпеливо выстоит очередь, а дни без очередей бывают редко, будет вознагражден возможностью «вскарабкаться» на купол по витой рампе длиной в 230 метров.

帝国大厦的圆顶已成为新柏林最著名的标志性建筑物，它极富情调地闪现在夜空中。英国明星建筑师弗斯特爵士（Sir Norman Foster）设计了这个罩在德国联邦议会大会厅上的玻璃圆顶。谁愿意在楼下耐心地排队 不用排队的情况很少 - 一定能得到相应的补偿。他可沿着一个盘旋式的长廊"爬上"圆顶。爬上40米高的观望台后再慢慢坐下，细细鸟瞰柏林全城。

Der Reichstag

Die Zentrale der politischen Macht. Das neue Bundeskanzleramt am Rande des Tiergartens, 2001 nach Entwürfen von Axel Schultes und Charlotte Frank fertiggestellt. Der 200 Millionen-Euro-Dienstsitz besteht aus einem 40 Meter hohen Hauptbau, der von zwei Bürotrakten flankiert wird. Der Bau, in manchen Veröffentlichungen scherzhaft „Waschmaschine" genannt, ist Mittelpunkt vom „Band des Bundes", das vom Kanzlergarten über die Spree hinweg reicht und das größte Bauprojekt des Bundes in Berlin darstellt.

The centre of political power: The new Chancellery at the edge of the Tiergarten was built in 2001 by Berlin architects Axel Schultes and Charlotte Frank. The official seat of the German Federal Chancellor is worth 200 million Euros and consists of a 40 metres high main building flanked by two office wings. The building is sometimes jokingly called "washing machine" and also serves as centre of the "Band des Bundes," a ring of federal government buildings along the river Spree.

La centrale du gouvernement, le nouveau Bundeskanzleramt a été érigé en bordure du Tiergarten et achevée en 2001 selon les plans des architectes Axel Schultes et Charlotte Frank. Le siège du Chancelier qui a coûté 200 millions d'Euros et est constitué d'un bâtiment principal de 40 mètres de haut flanqué de deux ailes comportant des bureaux. Cette construction nommée de façon plaisante « machine à laver » est le point central d'un ensemble nommé le « cordon des Etats fédéraux » qui enjambe la Spree.

La central del poder político. La residencia del Canciller de Alemania en los aledaños del Tiergarten, construido en 2001 según diseño de Schultes y Frank. El Bundeskanzleramt tuvo un coste de 200 millones de euros y consta de un edificio de 40 metros de altura y dos anexos dedicados a oficinas. Este complejo forma ya parte del humor popular que lo ha bautizado con el nombre de "la lavadora". Es el punto central de la Administración del Estado y va desde la residencia oficial hasta el jardín pasando por el río Spree.

La centrale del potere politico: la nuova Cancelleria al margine del Tiergarten, ultimata nel 2001 secondo i progetti di Axel Schultes e Charlotte Frank. La sede ufficiale del Cancelliere, costata 200 milioni di Euro, è composta da un edificio principale alto 40 metri che è affiancato da due ali per uffici. L'edificio, chiamato scherzosamente in qualche pubblicazione la "lavatrice", è al centro del cosiddetto "Band des Bundes" (gioco di parole: "nastro della federazione") che partendo dal giardino del Cancelliere oltrepassa la Sprea.

Centrala politycznej władzy. Nowy Urząd Kanclerski obok parku Tiergarten został zaprojektowany przez Axela Schultesa i Charlotte Frank, a oddany do użytku w 2001 roku. Służbowa siedziba kanclerza kosztowała 200 milionów euro i składa się z głównego gmachu o wysokości 40 metrów, obramowanego po obu stronach dwoma kompleksami biurowymi. Gmach ten żartobliwie nazywany w niektórych publikacjach „pralką", jest centralnym punktem tzw. „pasma federacji", które rozciąga się od ogrodu kanclerskiego aż na drugą stronę Szprewy.

Центр политической власти. Новое ведомство федерального канцлера на краю парка Тиргартен построено в 2001 г. на сумму 200 млн. евро по проекту А. Шультеса и Ш. Франк. Здание, шутливо названное в нескольких публикациях «стиральной машиной», состоит из главного корпуса высотой 40 м с офисными секциями по обеим сторонам и является центральной точкой «Федеральной ленты», простирающейся от сада канцлера за реку Шпре.

政治势力的中心。动物公园城区（Tiergarten）边上的新联邦总理府是2001年按苏尔特斯（Axel Schultes）和弗兰克（Charlotte Frank）的设计建成的。这座耗资 2 亿欧元的总理府由一幢 40 米高的主楼及两侧翼各一幢侧楼组成。这个被有些杂志戏称为"洗衣机"的建筑居于"联邦干线"的中心地带。这条干线从总理花园起一直延伸到

Das Bundeskanzleramt

Der Volksmund spricht von der „Schwangeren Auster". Als 1957 die damalige Kongresshalle im nördlichen Teil des Tiergartens (Entwurf Hugh A. Stubbins, USA), der Öffentlichkeit übergeben wurde, bestaunten die Berliner eine bautechnische Sensation. Denn das stark gewölbte Spannbetondach war ein gewolltes Wagnis. Im Mai 1980 stürzte das Dach teilweise ein, ist aber längst wieder in Stand gesetzt und wölbt sich über dem heutigen „Haus der Kulturen der Welt", das zu internationalen Veranstaltungen einlädt.

Berliners like to call this building the "pregnant oyster." When built in 1957, the former congress hall in the northern section of the Tiergarten (design: Hugh A. Stubbins, USA) was a technical sensation: The extremely arched roof made of pre-stressed concrete was a daring static adventure. However, in May 1980, the roof partly suddenly collapsed, but was rebuilt and now rises above the art venue of the "Haus der Kulturen der Welt," (House of the World's Cultures).

Le peuple parle d'une huître enceinte. Lors de l'inauguration en 1957 de l'ancien palais des congrès se trouvant dans la partie nord de Tiergarten (Projet d'Hugh A. Stubbins, USA), les Berlinois ont considéré ce bâtiment comme une sensation architecturale. En effet le toit voûté en béton précontraint était une entreprise architecturale risquée. En mai 1980, le toit s'est en partie effondré, a été remis en état depuis lors et abrite aujourd'hui la « maison des cultures du monde ».

La voz popular lo llama la "ostra embarazada". Cuando en 1957 fue construido este palacio de congresos en la zona del Tiergarten (diseño de Hugh A. Stubbins, EE.UU.), los berlineses se asombraron de aquella atrevida arquitectura poco convencional. Una parábola de hormigón cubría el edificio circular, todo un reto para la ingeniería arquitectónica de la época. En mayo de 1980 parte de esta audaz construcción se derrumbó, pero volvió a ser puesta en su sitio y se inclina hoy sobre la "Casa de las Culturas del Mundo".

Nel gergo popolare viene chiamata l'"ostrica gravida". Nel 1957, quando l'allora Kongresshalle nella parte nord del Tiergarten (progetto di A. Stubins, USA) venne aperta al pubblico, i berlinesi rimasero impressionati da questo miracolo della tecnica delle costruzioni. Il tetto, a volta e in calcestruzzo precompressso, era allora considerato come un rischio architettonico. Nel 1980 il tetto crollò in parte, ma già da tempo è stato rimesso a posto e volteggia ora sull'odierna "Casa delle culture del mondo".

Berlińczycy nazywają ją między sobą „ciężarną ostrygą". Kiedy w roku 1957 w północnej części parku Tiergarten otwarto po raz pierwszy ówczesną Halę Kongresową (projekt: Hugh A. Stubbins, USA), podziwiano ją jako architektoniczną sensację. Powodem był głęboko wypukły, naprężony, betonowy dach; z budowlano-technicznego punktu widzenia duże ryzyko. W maju 1980 roku dach częściowo się zawalił, został jednak szybko naprawiony i rozpina się ponownie nad „Domem Kultur Świata".

В народе его называют «беременной устрицей». В 1957 г. в северной части Тиргартена было открыто здание Конгрессов американского архитектора Х. А. Стаббинса, поразившее берлинцев. Сильно выпуклая форма крыши была сенсационным новшеством и техническим риском. В мае 1980 г. часть крыши обрушилась, но теперь уже давно восстановлена. Под сводчатым сводом находится Дом культур мира.

民间叫它"怀孕的牡蛎"。1957 年这座建筑作为当时的议会大厦刚刚在北动物公园城区正式开放的时候，（由美国人斯达宾斯Hugh A. Stubbins 设计）它奇特的建筑技术曾在柏林引起轰动。因为它高高拱起的伸张式圆顶是建筑技术方面的一次大胆尝试。1980 年 5 月拱顶曾部分塌陷，但它早已被修复原样，拱起在今天的"世界文化馆"上。

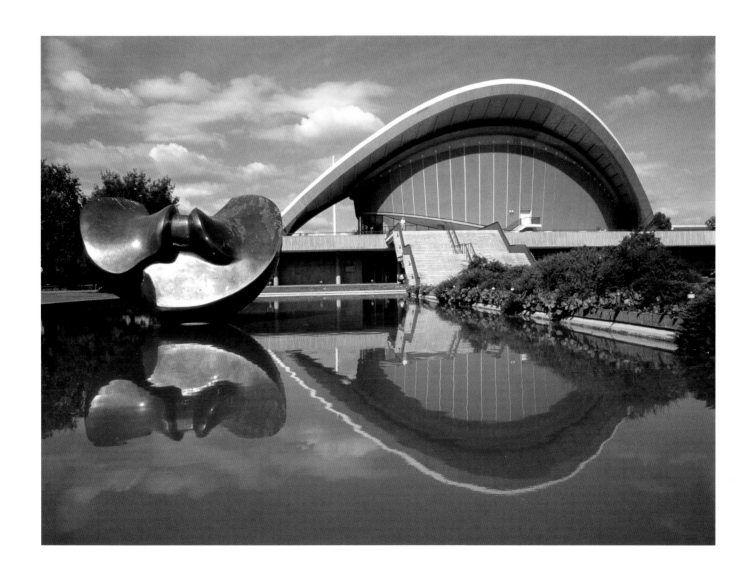

Das „Haus der Kulturen der Welt“

Spreeweg Nr. 1, 10557 Berlin. So lautet die Adresse des ersten Mannes im Staat. Das frühere Schloß Bellevue, 1785 für Prinz August Ferdinand von Preußen – jüngster Bruder Friedrichs des Großen – erbaut, ist heute Amtssitz des jeweiligen Bundespräsidenten. Wenn das Staatsoberhaupt anwesend ist, weht über dem hellen Bau mit dem Walmdach die Bundesflagge. Neben dem Schloß, am Englischen Garten, liegt in Form eines Rundbaus das neue Verwaltungsgebäude des Bundespräsidenten.

Spreeweg No. 1, 10557 Berlin – this is the postal address of Germany's Head of State. The former Schloss Bellevue was built in 1785 for Prince August Ferdinand of Prussia, the youngest brother of Frederick the Great, and now serves as official seat of the Federal President. Whenever he is in residence, the official federal flag is flying above the bright building with its distinctive hipped roof. Next to the palace, at the English Garden, is the oval, new presidential office building.

Chemin de la Spree n°1, 10557 Berlin. Ainsi s'intitule l'adresse du premier homme de l'Etat. L'ancien château « Bellevue » qui fut bâti en 1785 pour le prince Auguste Ferdinand de Prusse qui était le frère cadet de Frédéric le Grand, est la résidence officielle actuelle du Président de la République fédérale. Lorsqu'il honore la ville de sa présence, le drapeau allemand est hissé sur le toit en croupe de cette bâtisse de couleur claire. Dans le Jardin anglais, à proximité du château le nouveau bâtiment administratif du Président de la République fédérale.

Spreeweg Nº 1, 10557 Berlín. Esta es la dirección del Jefe del Estado. El antiguo palacio Bellevue, construido en 1785 para Augusto Ferdinand de Prusia, hermano más joven de Federico el Grande, es la residencia oficial del Presidente de la República. Cuando el máximo mandatario del Estado se encuentra en Berlín, la bandera nacional ondea en la fachada palaciega. Junto al palacio, en el jardín inglés, se encuentra el edificio circular encargado de la administración.

Spreweg numero 1, 10557 Berlino. Questo è l'indirizzo del capo dello stato. Lo Schloss Bellevue, fatto costruire nel 1785 per il principe Ferdinando di Prussia – il fratello più giovane di Federico il Grande – è oggi la sede ufficiale del presidente della Repubblica federale. Quando il capo dello Stato è presente, sulla costruzione chiara con il tetto a padiglione sventola la bandiera federale. Accanto al castello, nel Giardino inglese, si trova il nuovo ufficio amministrativo del Presidente federale con la sua forma di edificio circolare.

Spreeweg nr 1, 10557 Berlin. To adres najważniejszego obywatela w tym kraju. W dawnym pałacu Bellevue, wybudowanym w roku 1785 dla pruskiego księcia Augusta Ferdynanda – najmłodszego brata Fryderyka Wielkiego – ma teraz swoją oficjalną siedzibę prezydent federalny. Jeśli głowa państwa przebywa w pałacu, nad jasnym gmachem z czterospadowym dachem powiewa flaga państwowa. Obok pałacu, przy parku angielskim, w okrągłym gmachu znajduje się administracja prezydenta.

10557 Берлин, Шпревег 1. Это адрес первого человека в государстве. Бывший дворец Бельвю, построенный в 1785 г. для принца Августа Фердинанда Прусского, младшего брата Фридриха Великого, сегодня является резиденцией федерального президента. Поднятый над 4-скатной крышей светлого здания флаг означает, что во дворце пребывает глава государства. В английском парке рядом с дворцом находится круглое административное здание федерального президента.

施布雷道1号，10557 柏林（Spreeweg Nr. 1, 10557 Berlin）。这正是国家元首的地址。历史上它是美景宫（Schloß Bellevue），1785 年由普鲁士王子费帝南（Prinz August Fedinand） 弗德列大帝的小弟弟 建成 。今天它是德国的总统府。如果总统先生在府内，白色的四坡屋顶上就可见国旗飘扬。宫殿旁边的英式花园内的那幢圆形建筑是联邦总统的办公楼。

Das Schloß Bellevue

Welch ein Weibsbild! „Goldelse" wird die 8,32 Meter hohe und 40 Tonnen schwere Siegesgöttin mit Schuhgröße 92 genannt, modelliert von Friedrich Drake. Sie krönt die 66 Meter hohe Siegessäule, eine triumphale Erinnerung an die Siege von 1864, 1866 und 1870/71. Die Säule, ein Werk von Johann Heinrich Strack, ist mit goldglänzenden erbeuteten Kanonenrohren bestückt. Wer „Goldelse" ganz nahe sein will, muss 285 Stufen emporkeuchen. Wer diesen Aufstieg wagt, wird durch einen phantastischen Blick entschädigt.

What a girl! "Goldelse" is the nickname for the 8,32 metres high goddess of victory, who has a weight of 40 tons and shoe size 92. The sculpture was modelled by Frederick Drake and crowns the 66 metres high Siegessäule (Victory Column), a triumphant memorial to Prussian victories in 1864, 1866, and 1870/71. The column was designed by Johann Heinrich Strack and is adorned with captured, gold-covered canons. Those who wish to be nearer to "Goldelse" have to work up their way 285 steps.

Quelle image féminine ! La déesse de la victoire, une œuvre de Frédrich Brake haute de 8,32 mètres, pesant dans les 800 demi-quintaux et de 92 de pointure est appelée « Ane d'or ». Elle couronne la colonne de la victoire d'une hauteur de 66 mètres qui représente de manière triomphale les victoires de 1864, 1866 et 1870/71. Cette colonne, une œuvre de Heinrich Strack est ornée de canons recouverts d'or qui ont été remportés lors des victoires. Quiconque désire admirer l'« Ane d'or » de près doit entreprendre la montée de 285 marches.

¡Qué imponente figura de mujer! "Goldelse" (la Elsa dorada) llama el pueblo a la estatua de 8,32 metros y 40 t. de peso. La diosa de la victoria calza un 92 y fue esculpida por Friedrich Drake. Ella se perfila allá arriba sobre la columna de 66 metros de altura que conmemora las victorias de 1864, 1866 y 1870/71. La columna es obra de Johann Heinrich Strack y se escolta con cañones tomados al enemigo. El turista que desee ver a la "dorada Elsa" tiene que subir 285 peldaños que desde la base dan acceso a la figura.

Che immagine di donna! La dea della vittoria (Nike), alta 8,32 metri, del peso di 40 tonnellate e scarpe di misura 92, viene chiamata in gergo "Goldelse" e venne modellata da Friedrich Drake. Essa incorona la colonna della vittoria alta 66 metri, un ricordo trionfale delle vittorie nelle guerre del 1864, 1866 e 1870/71. La colonna, un'opera di Johann Heinrich Strack, è circondata da canne di cannone dai riflessi dorati che furono catturate in guerra. Chi vuol vedere "Goldelse" più da vicino, deve salire a piedi tutti i 285 gradini della scala interna.

Co za kobieta! „Złotą Elzą" nazywana jest ta bogini zwycięstwa o wysokości 8,32 metrów i wadze 400 ton oraz rozmiarem obuwia 92, zaprojektowana przez Friedricha Drake. Jest zwieńczeniem 66-metrowej Kolumny Zwycięstwa, wspomnienia triumfalnych zwycięstw w latach 1864, 1866 i 1870/71. Kolumna – dzieło Johanna Heinricha Stracka – jest przyozdobiona błyszczącymi złotem, zdobycznymi armatami. Kto chce zobaczyć „Złotą Elzę" z bliska, musi się potrudzić i wspiąć na górę po 285 stopniach.

Какая женщина! «Золотой Эльзой» называют богиню победы автора Ф. Драке. Ее рост 8,32 метра, вес 400 центнеров, а размер ноги 92. Она венчает 66-метровую Колонну победы, возведенную в память о триумфальных победах 1864, 1866 и 1870/71 гг. Колонну, построенную по проекту И. Г. Штрака, украшают отливающие золотом трофейные стволы пушек. А кто хочет поближе познакомиться с «Золотой Эльзой», тому надо взять 285 ступеней.

多么令人神往的一座女人像！人们昵称这位 8.32 米高，800 公担重，鞋码 92 号的胜利女神 "金伊莎"（Goldelse），该像由德拉克（Friedrich Drake）塑成。她屹立在 66 米高的胜利柱上方，以纪念 1864、1866 和 1870/71 年的战果。立柱是施特拉克的作品，用缴获的发着金光的炮筒制成。谁想紧紧靠近 "金伊莎"，先得喘气爬上 285 级台阶。

Die Siegessäule

Im alten West-Berlin war die Kaiser-Wilhelm-Gedächtnis-Kirche beliebter Treffpunkt und häufiges Fotomotiv. Zugleich war sie auch ein Symbol für den Aufbauwillen nach Krieg und Zerstörung. Auf unserem Foto liegen Alt und Neu dicht beieinander: Der Turmstumpf (Hohler Zahn) des 1895 geweihten Gotteshauses und der sechseckige Glockenturm von 1963 nach Entwurf von Egon Eiermann. Den geplanten Abriss des Turmstumpfes hatten mehr als 50.000 Berliner durch ihren Protest verhindert.

In former West Berlin, the Kaiser-Wilhelm-Gedächtnis-Kirche (Memorial Church) was a popular meeting point. The church is a symbol for the post-war determination to rebuild a country after total destruction. The photo shows the ruins of the church tower, called "hollow tooth," dating back to 1895, right next to it is the hexagonal new bell tower of the modern church built in 1963 by Egon Eiermann. After the war, the ruins were slated for demolition, but more than 50,000 Berliners had protested against the plan.

Dans l'ancien Berlin-ouest, l'église commémorative de Kaiser Wilhelm était un point de rencontre jouissant d'une grande popularité et souvent photographié. De plus elle était considérée comme symbole de la reconstruction après la guerre et la destruction de la ville. Sur notre photographie on peut voir l'Ancien et le Nouveau se côtoyer: les vestiges de la tour de la maison de dieu inaugurée en 1895 et la tour du clocher hexagone érigée en 1963 selon les plans d'Egon Eiermann.

En Berlín occidental la Iglesia de la Conmemoración es uno de los monumentos más fotografiados. Durante décadas fue el símbolo de la férrea voluntad de un pueblo por volver a resurgir tras la guerra. Aquí se dan la mano antiguo y moderno. La torre destrozada, en el lenguaje popular "la muela hueca", pertenece a la iglesia consagrada en 1895 y el campanario hexagonal nuevo data de 1963 según diseño del arquitecto von Egon Eiermann. Estaba proyectada su demolición pero las protestas de más de 50.000 berlineses lo impidieron.

La Gedächtnis-Kirche del Kaiser Guglielmo era nella vecchia Berlino-Ovest un amato punto d'incontro e frequente motivo fotografico. Allo stesso tempo anche un simbolo della volontà di ricostruzione dopo le distruzioni della guerra. Nella nostra foto, il vecchio ed il nuovo sono l'uno accanto all'altro: il campanile mozzato (chiamato il "dente cavo") della chiesa, consacrata nel 1895, ed il campanile esagonale del 1963, progetto di Egon Eiermann. Con la loro protesta, più di 50.000 berlinesi avevano impedito la demolizione del campanile mozzato.

W starym Berlinie Zachodnim kościół Kaiser-Wilhelm-Gedächtnis-Kirche i jego okolice był ulubionym punktem spotkań i częstym motywem fotograficznym. Jednocześnie symbolizował silną wolę i chęć odbudowy po okresie wojny i zniszczeń. Na fotografii widać stare i nowe obok siebie: po pierwsze resztki wieży („spruchniały ząb") świątyni z 1895 roku, a po drugie sześciokątną dzwonnicę według projektu E. Eiermanna z roku 1963. Zaplanowane dawniej wyburzenie ruiny wieży udaremniono w wyniku protestów ponad 50 000 berlińczyków.

Церковь «Памяти кайзера Вильгельма» была в бывшем Западном Берлине излюбленным местом встреч и популярным фотомотивом, и в то же время символом народной воли к восстановлению. На фотографии показано старое рядом с новым: остатки освященной в 1895 г. церкви («полый зуб») и 6-гранная колокольня, выполненная в 1963 г. по проекту Э. Айермана. Более 50 тысяч берлинцев воспрепятствовали своим протестом сносу руину.

从前西柏林的威廉皇帝纪念教堂（Kaiser-Wilhelm-Gedächtnis-Kirche）是人们喜欢碰头的地方和拍照的对象。它同时也成了人们在战后重修残破家园的强烈愿望的象征。我们的图片上新旧两部分并排而立：分辨是 1895 年开放的受损坏的教堂塔尖（空牙形）和 1963 年爱尔曼（Egon Eiermann）设计的6层钟楼。五万多柏林人曾通过集体抗议阻止对该教堂的拆除计划。

Die Kaiser-Wilhelm-Gedächtnis-Kirche

In einer guten Stunde die Landschaften der Erde erleben, das Himalaya-Gebirge durchklettern, durch den Balkan wandern oder die Heide entdecken. Diese Attraktionen bietet der Botanische Garten mit rund 22.000 Pflanzenarten auf einer 43 Hektar großen Fläche. Besonders beliebt sind in der kalten Jahreszeit die Gewächs- oder Schauhäuser, in denen der Besucher einen Hauch vom Amazonas spürt oder unter immergrünen Palmen hindurchschreitet. Einmal im Jahr blüht als besonderes Ereignis die Victoria regia.

In just about one hour you can explore landscapes from around the world, climb through the Himalaya or the Balkan mountains or simply enjoy the moor. These attractions and much more are offered at the famous and historic Botanischer Garten (Botanical Gardens), which holds 22,000 plant species on a 43 hectares wide area. In winter, the greenhouses are particularly popular; here, you can feel the flair of the real Amazonas river, or take a leisurely stroll under shady palm trees.

Le jardin botanique avec ses 22.000 variétés florales présentées sur 43 hectare de terrain, propose un grand nombre d'attractions. En une heure de visite il est possible d'y découvrir les différents paysages existants sur la terre, de traverser les montagnes de l'Himalaya, de se promener à travers les Balkans ou de découvrir la lande. Les différentes serres et divers pavillons donnant aux visiteurs un petit aperçu de ce qu'est l'Amazone ou leur permettant de se promener au milieu des palmiers ont un grand succès en particulier en période d'hiver.

Una hora necesitaremos para admirar paisajes exóticos de la tierra, ascender por el Himalaya o conocer las tierras del Mar del Norte. Estos son algunos de los atractivos del Jardín Botánico en el que abundan todo tipo de plantas del planeta: 22.000 especies botánicas en una superficie de 43 hectáreas. En la época fría del año los invernaderos acristalados animan al visitante a admirar en ambientes tropicales las plantas más llamativas de la selva amazónica o pasearse entre vistosas palmeras.

Sperimentare in un'ora i paesaggi della terra, scalare il monte Himalaya, vagare attraverso i Balcani oppure scoprire la brughiera della Heide. Queste attrazioni offre il Giardino botanico, con circa 22.000 tipi di piante su una superficie di 43 ettari. Molto frequentate nel periodo invernale sono le serre, dove il visitatore può respirare un'atmosfera di Amazzonia oppure farsi strada all'ombra delle palme. Un evento particolare è la fioritura una volta all'anno, della pianta Victoria regia.

Zobaczyć i przeżyć przeróżne krajobrazy ziemi i to w ciągu dobrej godziny, wspiąć się i przebrnąć przez pasmo Himalajów, wędrować po Bałkanach albo zapoznać się ze stepem. Wszystkie te atrakcje wraz z około 22.000 gatunkami roślin na powierzchni o wielkości 43 hektarów oferuje Ogród Botaniczny. Szczególnie popularne są w zimnej porze roku szklarnie i cieplarnie, w których zwiedzający może poczuć powiew Amazonii albo przespacerować się pod palmami. Raz w roku zakwita tu victoria regia.

За добрый час полюбоваться ландшафтами земли, полазить по Гималаям, побродить по Балканам или открыть для себя пустошь. Все эти аттракционы предлагает Ботанический сад, раскинувшийся на 43 гектарах. В нем насчитывается около 22 тысяч видов растений. Особым спросом пользуются в холодное время года теплицы, где можно почувствовать дуновение Амазонки или побродить под пальмами.

在充足的1个钟头内游历地球风光，攀登喜马拉雅山脉，穿行巴尔肯山，或是发现奇花异草。植物园内的约 43 公顷的辽阔土地上生长的约 22000 种植物为你提供这样的经历。特别是到了冷天的时候，参观植物园暖房或展屋，些许领略阿马佐纳斯山的气息或是感受穿梭耶树林中的情趣，是植物园颇受欢迎的节目。

Der Botanische Garten

„Langer Lulatsch" nennen viele Berliner den 150 Meter hohen Funkturm, über den 1926 erstmalig der Sendebetrieb des neuen Mediums Rundfunk lief. Im Vordergrund die sechs Meter hohe Bronze-Skulptur des Franzosen Jean Ipoustéguy, die wegen ihrer Form und ihres Namens „Ekbatana – der Mensch baut seine Stadt" zu den umstrittenen Kunstwerken gehört. Das futuristische Kraftpaket steht vor dem Eingang des 1979 fertiggestellten Internationalen Congress Centrums (ICC).

"Langer Lulatsch," ("beanpole") is the nickname for the 150 metres high radio tower. In 1926, it transmitted its first radio signal. In front of it is the six metres high bronze sculpture by French artist Jean Ipoustéguy; due to its unusual form and its name "Ekbatana", (man is building his city) it is considered to be one of the more controversial works of art in Berlin. The equally futuristic silver building in the back is the Internationales Congress Centrums (ICC) dating back to 1979.

La grande tour de la radio de 150 mètres qui a vu la mise en service de la nouvelle station de radio « Mediums Rundfunk » en 1926 est appelée « Grande perche » par de nombreux berlinois. En premier plan se trouve une sculpture en bronze de six mètres de haut, une œuvre du sculpteur français Jean Ipoustéguy, qui compte parmi les œuvres les plus critiquées de la ville en raison de sa forme et de son nom « Ekbatana » – l'homme construit sa ville. Cette sculpture compacte de forme futuriste est placée à l'entrée du Centre de Congrès International bâti en 1979.

Por larguirucho los berlineses lo apodan "el estirao" (Langer Lulatsch) a la torre de la radio de 150 metros que emitió las primeras ondas del nuevo medio en 1926. Al frente de este monumental edificio se encuentra la obra del escultor francés Jean Ipoustéguy que por su nombre "Ekbatana, el hombre construye su ciudad" se ha convertido en una de las esculturas más controvertidas de los últimos tiempos. Esta fornida visión futurista se encuentra a la entrada del Centro Internacional de Congresos (ICC) inaugurado en 1979.

"Langer Lulatsch", così viene chiamato da molti berlinesi la Funkturm (torre radio) alta 150 metri, dalla quale venne diffusa nel 1926 la prima trasmissione radiofonica. In primo piano si vede la scultura in bronzo alta sei metri del francese Jean Ipoustéguy, la quale – per la sua forma ed il suo nome " Ekbatana: l'uomo costruisce la sua città" – è una delle opere d'arte più discusse. La possente struttura futuristica si trova all'ingresso del Centro Internazionale dei Congressi (ICC) che è stato portato a termine nel 1979.

„Długim dryblasem" nazywa wielu berlinczyków wieżę radiową o wysokości 150 metrów, z której po raz pierwszy odbyła się transmisja radiowa, wówczas nowego medium. Na pierwszym planie znajduje się 6-metrowa figura z brązu Francuza Jean Ipoustéguy, która z powodu swojej formy i nazwy: „Ekbatana – człowiek buduje swoje miasto" należy do najbardziej kontrowersyjnych dzieł sztuki. Ta futurystyczna bryła mięśni stoi przed wejściem do Międzynarodowego Centrum Kongresowego (ICC), oddanego do użytku w 1979 roku.

«Долговязой верзилой» прозвали берлинцы 150-метровую радиовышку, с которой в 1926 г. была произведена первая в мире радиопередача. На переднем плане бронзовая 6-метровая скульптура работы француза Ж. Ипустеги, наиболее спорное произведение искусства из-за своей формы и названия «Экбатана - человек строит свой город». Футуристический силач установлен на входе в Международный Конгресс-центр (ICC) постройки 1979 г.

"廆高个"，许多柏林人这么叫150米高的电讯塔，1926 年新电讯网第一次通过该塔传输讯息。它的前部是法国人易鹏施桂（Jean Ipoustéguy）设计的 6 米高的铜像，因其外形和命名"Ekbatana - 建城之人"而成为常引起争议的艺术品。 这个未来派的力作耸立在 1979 年落成的国际会议中心门口。

Der Funkturm

Schloß Charlottenburg, ein kultureller Edelstein, das größte, schönste und kostbarste Schloss in der 3,3 Millionenstadt. Repräsentativ zeigt sich der Mittelteil mit dem 48 Meter hohen Kuppelturm, auf dem sich die goldene Figur der Fortuna dreht – eine launische Windsbraut. Der Eingang zum Ehrenhof wird beherrscht von zwei Nachbildungen der römischen Skulpturen des „borghesischen Fechters". Am Schloß Charlottenburg, genannt nach Königin Sophie Charlotte, haben in rund 100 Jahren drei preußische Könige bauen lassen.

The Charlottenburg Palace is a cultural gem, and the biggest, most beautiful und precious palace of Berlin. The centre building owes its representative appeal to the 48 metres high cupola tower, crowned by the golden sculpture of Fortuna (who, by the way, is always following the winds, a rather capricious girl). The entrance to the ceremonial courtyard is dominated by two replicas of the Roman sculpture of the "Borghese fencer." It took three Prussian kings a whole century to shape the palace into its current appearance.

Le château de Charlottenburg est un joyau culturel. C'est le plus grand, le plus beau et le plus précieux château de cette ville de 3,3 millions d'habitants. La partie centrale représentative du château coiffée d'une coupole s'élevant à 48 mètres de hauteur sur laquelle trône la statue en or de la Fortune qui tourne avec le vent – une nymphe capricieuse. L'entrée donnant sur la cour d'honneur est dominée par deux reproductions de sculptures romaines. Ce château a été bâti et agrandi par trois rois prussiens.

El palacio de Charlottenburgo, una joya, el más grande, admirable y precioso de esta capital de 3,3 millones de habitantes. Destaca en su centro la cúpula de 48 metros de altura sobre la que gira la figura dorada de la diosa Fortuna, como una caprichosa novia de los vientos. La entrada al patio de honor está jalonada por dos esculturas, del "espadachín de los Borghese". En este palacio de Charlottenburgo las obras de su construcción cubren el reinado de tres monarcas prusianos, nada menos que 100 años de Historia.

Lo Schloss Charlottenburg, un gioiello culturale, il più grande, il più bello ed il più prezioso castello della città di 3,3 milioni di abitanti. In maniera rappresentativa si presenta la parte centrale dell'edificio, con la cupola alta 48 metri, sulla quale volteggia la figura dorata della Fortuna – una ninfa capricciosa. L'ingresso del cortile d'onore viene sovrastato da due riproduzioni delle sculture romane dello "schermitore di Villa Borghese". Nel giro di circa 100 anni, tre re prussiani fecero eseguire lavori di costruzione ed ampliamento del castello.

Pałac Charlottenburg, kulturalny klejnot, największy, najpiękniejszy i najcenniejszy pałac w 3,3-milionowym mieście. Reprezentacyjnie wygląda jego centralna część z 48-metrową kopułą, na której obraca się złota figura Fortuny – kapryśnej oblubienicy wiatru. Wejścia na dziedziniec honorowy strzegą kopie dwóch rzymskich figur „szermierza Borghese". Przez około 100 lat trzech pruskich królów decydowało o budowie i różnych przebudowach pałacu, który został nazwany Charlottenburg ku czci królowej Sophie Charlotte.

Замок Шарлоттенбург, сокровище культуры, самый большой, прекрасный и роскошный дворец в 3,3-миллионном городе. Величественно смотрится центральная часть с 48-метровой купольной башней, на которой вращается золотая фигура капризной Фортуны. Вход в парадный двор украшен двумя копиями римских скульптур фехтовальщиков. Замок строился в течение столетия тремя прусскими королями.

夏洛腾堡宫（Schloß Charlottenburg），一颗文化宝石，它是拥有三百三十万居民的柏林城内最大、最美、也是最有价值的宫殿。中部 48 米高的圆顶极具表现力地展现着自己，圆顶的上面旋转着金色的幸运女神 象常变脸色的风新娘。两个复制的罗马雕塑"博尔核森决斗士"占据了决斗场的门口。在大约 100 年的时间内三位普鲁士国王参与了夏洛腾堡宫的修建。

Das Schloß Charlottenburg

Vor diesem Bauwerk ziehen die Stadthistoriker ihren Hut. Die Zitadelle Spandau ist in Deutschland eine der besterhaltenen Festungsanlagen im Renaissancestil. Noch mehr historischen Ruhm hat der 36 Meter hohe Juliusturm verdient: Um 1200 erbaut, ist er der älteste erhaltene Bau Berlins. Nach 1874 wurde der Juliusturm zu einem Begriff für gehortetes Vermögen. Hinter meterdicken Wänden verwahrte das neue Deutsche Kaiserreich 120 Mio. Goldmark, die Frankreich nach dem Krieg von 1870/71 zahlen musste.

City historians are bowing their heads for this building: The Zitadelle Spandau (Spandau citadel) is one of Germany's best preserved Renaissance fortifications. Even more historic honour is bestowed upon the 36 metres high Juliusturm. Built around 1200, it is the oldest standing construction in all of Berlin. In 1874 the tower became a treasure grove, when the German Empire stored 120 million gold marks behind the thick walls, the French reparation money the country had to pay after its defeat in the French-German war of 1870-71.

Les historiens tirent leur chapeau à la citadelle de Spandau qui est une des fortifications de style renaissance les mieux conservées en Allemagne. La tour de Juliusturm mesurant près de 36 mètres de haut est encore plus réputée auprès des historiens. Construite en 1200, c'est l'édifice le mieux conservé de Berlin. Après 1874 la Juliusturm était un des endroits où étaient conservés des biens. En effet, c'est ici que le régime impérialiste allemand conservait les 120 millions de mark en or que la France avait dû payer après la guerre de 1870/71.

Ante este monumento los historiadores se quitan el sombrero. La Ciudadela de Spandau es una de las fortificaciones en estilo renacentista mejor conservadas del país. De igual fama goza la torre Juliusturm. Erigida en 1200 es la construcción más antigua que aun se conserva de Berlín. Después de 1874 esta torre guardó tras sus muros de varios metros de espesor 120 millones de marcos en oro que tuvo que pagar Francia como reparación al imperio alemán después de perder la guerra de 1870/71.

Davanti a questa opera architettonica si inchinano gli storici della città. La Cittadella di Spandau è in Germania una delle fortezze meglio conservate in stile rinascimentale. Di una fama storica ancora maggiore gode la Juliusturm (torre di Giulio), alta 36 metri. Venne costruita intorno al 1200 ed è considerata l'edificio più antico che è rimasto della vecchia di Berlino. Dopo il 1874 la Juliusturm diventò il simbolo della ricchezza tesorizzata. Il Kaiserreich tedesco conservava qui i 120 milioni di marchi oro pagati dalla Francia come riparazioni dopo la guerra del 1870/71.

Przed tą budowlą historycy miasta pochylają czoła. Cytadela w dzielnicy Spandau jest jedną z najlepiej zachowanych fortyfikacji w stylu renesansowym. Na jeszcze większą sławę historyczną zasługuje 36-metrowa wieża Juliusa. Wybudowana około 1200 roku jest najstarszą budowlą Berlina. Po roku 1874 stała się ona odpowiednikiem nagromadzonego majątku: za grubym na ponad metr murem nowa Rzesza Niemiecka (Cesarstwo) przechowywała tu 120 milionów marek w złocie, które Francja zapłaciła po przegranej wojnie w latach 1870-71.

Перед нею преклоняются городские историки. Цитадель Шпандау, наиболее хорошо сохранившееся оборонное сооружение в стиле Ренессанса. Еще большую историческую славу снискала 36-метровая башня Юлиуса, старейшее здание Берлина постройки ок. 1200 г. После 1874 г. в ней хранилась казна кайзеровской Германии, 120 млн. марок золотом, выплаченных по репарации Францией после 1870/71 гг.

城市历史学家会对这座古建筑脱帽致敬。石斑道古堡（Die Zitadelle Spandau）是德国保存最完好的文艺复新风格的古堡之一。其 36 米高的尤利乌斯塔（Juliusturm）的历史声誉更甚：约 1200 年建成，是柏林城现存最古老的建筑。1874 年后尤利乌斯塔成为战利品的代名词。德意志帝国曾在该塔内存放了 1870/71 年普法战争后了法国支付给它的一亿二千万金币的赔款。

Die Zitadelle Spandau

„Wie ein Märchen steigt ein Bild aus meinen Kindertagen vor mir auf", schrieb Theodor Fontane über die Pfaueninsel, das schönste Eiland der Stadt. Zum Zauber der Landschaft kommt das weiß leuchtende Schloss (1794-97) des Hofzimmermeisters Johann Gottlieb Brendel. Er verkleidete den Fachwerkbau mit Eichenbohlen. Das romantische Schloss kann besichtigt werden, ist aber nur mit einer Fähre zu erreichen. Die 98 ha große, 1,5 km lange Insel ist ein Naturschutzgebiet.

"Just like a fairy tale, an image from my childhood days is coming back to me," Theodor Fontane wrote about the Pfaueninsel (Peacock Island), the city's most beautiful island. Set in a magic landscape is a brilliant white palace dating back to 1794-97, once built by the royal court carpenter Johann Gottlieb Brendel. He furnished the wooden beam construction's facade with oak planks. Today, you can tour the romantic palace; and the green, quiet island can be reached by ferry only.

« Comme dans un conte de fées apparaît l'image de mes souvenirs d'enfance devant mes yeux » écrivit Theodor Fontane sur la Pfaueninsel (Ile des paons), la plus belle île de la ville. Le blanc éclatant du château (1794-97) de Johann Gottlieb Brendel se détache dans la beauté du paysage. Le charpentier royal a recouvert le colombage de poutres en chêne. Ce château romantique peut faire l'objet d'une visite, mais on ne peut se rendre sur l'île d'une superficie de 98 hectares et d'une longueur de 1,5 km qu'en prenant un bac.

"Como un cuento se diluye ante mis ojos una de las imágenes más emotivas de la infancia" escribió Theodor Fontane. El literato de los romances vaporosos, describió así la Isla de los Pavos Reales, uno de los islotes más románticos de la ciudad. Para más acentuar la magia aparece el esplendoroso palacio blanco (1794-97) del imaginero real Johann Gottlieb Brendel que recubrió todo el entramado de la edificación con vigas de roble. Este palacio romántico se puede visitar también, pero sólo se llega hasta él en trasbordador.

"Come una favola sale un'immagine dei giorni della mia infanzia davanti a me", scrisse Theodor Fontane sull'Isola dei pavoni, la più bella isola della città. All'incanto del paesaggio si aggiunge il castello di color bianco raggiante (1794-97) dell'architetto Johann Gottlieb Brendel che rivestì la costruzione a traliccio con assi di quercia. Il castello può essere visitato, ma è raggiungibile solo con un battello. L'isola é un parco naturale, é estesa 98 ettari, et é 1,5 km lunga.

„Jak bajka powstaje przede mną obraz z dni mego dzieciństwa", pisał Theodor Fontane o wyspie Pawiej (Pfaueninsel), najpiękniejszej wyspie miasta. Niebywały urok pejzażu uzupełnia oślepiający swoją bielą zamek (1794-97) ochmistrza Johanna Gottlieba Brendla. Ochmistrz pokrył ściany „pruskiego muru" (Fachwerk) dębowymi balami. Romantyczny zamek można zwiedzać ale dostać się tam można tylko promem. Wyspa ma 98 ha powierzchni, 1,5 km długości i jest rezerwatem przyrody.

«Подобно сказке возникает предо мной картина моего детства», – писал Теодор Фонтане о прекраснейшем Павлиньем острове. Среди очаровывающего ландшафта стоит белоснежный замок (1794-97 гг.) работы И. Г. Бренделя. Фахверковое здание облицовано дубовыми брусьями. Романтический замок открыт для посетителей, но добраться до него можно только на пароме. Остров площадью 98 гектаров и длиной 1,5 км является заповедником.

"童年时期的一幅图景象童话一样在我眼前升起", 作家丰塔纳 (Theodor Fontane) 这样地描述孔雀岛, 柏林城最美丽的岛。王家木工师布蓝德 (Johann Gottlieb Brendel) 设计的白色的宫殿 (1794-97) 令孔雀岛的风光更加迷人。他用厚厚的橡木装饰了这座精致的建筑物外部。人们可以去参观这个浪漫的宫殿, 只是先得坐渡船过河。

Die Pfaueninsel

Zwei vergoldete Löwen und die große Fontäne als dekorativer Blickfang vor dem Schloß Glienicke. Am Rande der Stadt, nördlich der Königstraße im Bezirk Zehlendorf, haben Prinz Karl von Preußen – ein Sohn der berühmten Königin Luise – und Baumeister Schinkel gemeinsam mit dem Gartengestalter Peter Joseph Lenné die Kunst, Architektur und Natur zu einem bezaubernden Ensemble vereinigt. Der Park Klein-Glienicke, im westlichen Teil von der Havel umspült, ist ein beliebtes Ausflugsziel.

Two golden lions and the grand fountain are the eye-catchers in front of the Schloss Glienicke. At the outskirts of Berlin, north of the Königstrasse in the Zehlendorf district, Prince Karl of Prussia, a son of the famous Queen Luise, and master architect Schinkel joined garden landscaper Peter Joseph Lenné in creating a stunning ensemble of art, architecture, and nature. The park Klein-Glienicke, whose western part reaches to the banks of the river Havel, is a popular tour and sightseeing destination.

Deux lions en or et une grande fontaine attirent le regard sur le château de Glienicke. En bordure de la ville, au nord de la Königsstraße de l'arrondissement de Zehlendorf, sur la commande du prince Charles de Prusse – un fils de la célèbre reine Louise – l'architecte Schinkel et l'architecte paysagiste Peter Joseph Lenné ont su faire harmoniser l'architecture et la nature dans un ensemble séduisant. Le parc de Klein-Glienicke, arrosé par la Havel sur sa partie occidentale, est un but d'excursion très apprécié par les Berlinois.

Dos majestades leoninas y la gran fuente forman parte de la atractiva decoración del palacio Glienicke. A las afueras de la ciudad, al norte de la Königstraße el príncipe Karl de Prusia, hijo de reina Luise, y el arquitecto Schinkel junto con el paisajista Peter Joseph Lenné consiguieron reunir el arte, la arquitectura y la naturaleza, creando un conjunto de encantadora belleza. El parque lacustre Klein-Glienicke, bañado en la parte oeste por el Havel, es uno de los idílicos lugares de esparcimiento más querido de los berlineses.

Due leoni dorati e la grande fontana come richiamo ornamentale davanti al Castello di Glienicke. Alla periferia della città, sul lato nord della Königstrasse nel quartiere di Zehlendorf, il principe Carlo di Prussia – un figlio della famosa regina Luisa – e l'architetto Schinkel insieme con l'architetto di giardinaggio Peter Joseph Lenné hanno combinato l'arte, l'architettura e la natura, dando vita ad un insieme incantevole. Il parco di Klein-Glienicke, bagnato nella parte occidentale dalle acque della Havel, è una delle mete turistiche preferite dai berlinesi.

Nasze zainteresowanie skupiają od razu dwa pozłacane lwy i wielka fontanna przed pałacem Glienicke. Na granicy miasta, na północ od ulicy Königsstraße w dzielnicy Zehlendorf, książe Karol von Preußen – syn słynnej królowej Luizy – wspólnie z architektem Schinkelem oraz twórcą wspaniałych ogrodów, Peterem Josephem Lenné, zespolili sztukę, architekturę i naturę w jedną przeuroczą całość. W zachodniej części parku Klein-Glinicke przepływa Havela, a cały ten teren jest bardzo popularnym celem wycieczek.

Два позолоченных льва и большой фонтан бросаются в глаза перед замком Глинике. Очаровательный ансамбль, объединивший искусство, архитектуру и природу, создали на окраине города, севернее улицы Кёнигштрассе в районе Целендорф, принц Карл Прусский, сын знаменитой королевы Луизы, зодчий Шинкель и садовый архитектор Ленне. Парк Альт-Глинике, в восточной части которого протекает Хавель, является одним из самых излюбленных мест отдыха.

格力尼克宫（Schloß Glienicke）前两个镀金的狮子和一个很大的喷泉十分引人注目。这座宫殿位于柏林城边，泽仑多夫区（Zehlendorf）王街（Königstraße）北端，普鲁士王子卡尔（Prinz Karl）　著名的路易丝女王的儿子之一　与建筑家申克尔还有园林师冷勒（Peter Joseph Lenné）一起完成这个集艺术，建筑和自然为一体的杰作。西部环绕着哈韦尔河的小格尔尼克公园是柏林颇受欢迎的郊游地点。

Das Schloß Glienicke

Schloß Sanssouci!! Weltberühmt, Weltkulturerbe. Für viele Berlin-Gäste ein Muss in ihrem Besuchsprogramm. Im 18. Jahrhundert Sommersitz Friedrichs des Großen, der dort als Philosoph und ohne Sorgen leben wollte, seine Gesundheit aber in drei Kriegen um Schlesien und in unermüdlicher Arbeit für sein Preußen ruinierte. Das Weinberg-Schloß erbaute Georg Wenzeslaus von Knobelsdorff 1745-47 nach Skizzen seines königlichen Auftraggebers als reizende Rokoko-Schönheit auf kargem märkischen Boden.

Schloss Sanssouci!! It is world-famous and a UNESCO world cultural heritage. In the 18th century, it served as Frederick's summer residence, who wanted to live here as a philosopher, free of any worries. And yet, he ruined his health in the course of three wars over Silesia and his tireless work for Prussia. The palace above the wine mountain was built by Georg Wenzeslaus von Knobelsdorff in 1745-47 according to sketches made by his royal client – a playful rococo beauty on the barren soil of Mark Brandenburg.

Le château de Sanssouci a une renommée mondiale et est classé au patrimoine culturel mondial. Au 18ème siècle, c'était la résidence d'été de Frédéric le Grand qui désirait y vivre en tant que philosophe et sans aucun souci, mais avait ruiné sa santé durant les trois guerres de Silésie et par le travail interminable qu'il avait fourni pour son royaume prussien. Le château construit dans un cadre de vignes par Knobelsdorff de 1745-47 selon des plans dessinés par son maître d'œuvre royal est une merveille du rococo qui a été bâtie sur le sol pauvre et sablonneux de la Mark.

¡¡Palacio Sanssouci!! Patrimonio artístico de la Humanidad. En el siglo XVIII fue residencia de verano de Federico el Grande que pretendía vivir allí retirado, cultivando la filosofía, las artes y las letras, pero que arruinó su salud en el transcurso de las guerras mantenidas para conquistar Silesia y en su denuedo por engrandecer Prusia. El palacio Weinberg, construido por Georg Wenzeslaus von Knobelsdorff 1745-47 siguiendo los gustos de su rey y señor, es uno de los exponentes del Rococó en sobrio suelo prusiano.

Lo Schloss Sanssouci!! Un capolavoro del patrimonio culturale mondiale. Nel XVIII secolo fu la residenza estiva di Federico il Grande che voleva vivere lì come filosofo e senza preoccupazioni ma che, a causa delle tre guerre per la Slesia e dell'instancabile impegno per la sua Prussia, si rovinò la salute. La residenza con vigneto venne realizzata tra il 1745 ed il 1747 da Georg Venzenlaus von Knobelsdorff, sulla base degli schizzi del suo committente reale, come incantevole soggiorno in stile rococò sul terreno povero della marca di Brandeburgo.

Pałac Sanssouci!! Słynny na całym świecie, dziedzictwo światowej kultury. W XVIII wieku letnia rezydencja Fryderyka Wielkiego, który chciał tam wieść życie jak filozof, bez trosk i kłopotów, ale zrujnował swoje zdrowie w wyniku trzech wojen o Śląsk oraz bezustannej pracy dla Prus. Pałac z winnicami wybudował Georg Wenzeslaus von Knobelsdorff w latach 1745-47 według szkiców królewskiego zleceniodawcy. Stanowi dzisiaj czarującą i zachwycającą piękność w stylu rokokowym na jałowej brandenburgskiej ziemi.

Дворец Сан-Суси!! Мировая знаменитость, наследие мировой культуры. В 18 веке он был летней резиденцией Фридриха Великого, где король хотел заниматься философией и жить без забот, но загубил свое здоровье в трех войнах за Силезию и в неустанном труде на благо Пруссии. Дворец с виноградниками был построен на скудной бранденбурской земле в 1745-47 гг. в стиле рококо по эскизам короля архитектором Кнобельсдорфом.

忘忧宫！！举世闻名，世界文化的宝贵遗产。18 世纪时它是弗德列大帝消夏的地点。弗德列大帝曾希望象一个哲人似地，无忧无虑地在这里度日，但是三次争夺史勒斯因地区的战争和不懈的工作却摧毁了他的健康。这个带葡萄园的宫殿是在 1745-47 年间由封克罗伯斯多夫以国王的草图为基础设计而成，它象一个娇艳的罗珂珂美妇站在贫乏的马尔克区的土地上。

Das Schloß Sanssouci

Potsdam, wie es Millionen auf der ganzen Welt kennen, schätzen und lieben: Die sechs Weinbergterrassen mit der rauschhaft verspielten Gartenfront von Schloß Sanssouci. Wer unten steht, an der großen Fontäne, sieht sicherlich in seiner Phantasie den einstigen Hausherrn, einen strahlenden jungen König, Friedrich II., der die Flöte spielt, mit Voltaire diskutiert und bei der Tafelrunde glänzt. Und sicherlich sieht er auch in Gedanken den Monarchen als Alten Fritz, nach dessen eigenen Worten mit einem Rücken „krumm wie ein Fiedelbogen".

A sight of Potsdam, as millions around the world know and cherish it: The six wine terraces and the wonderfully playful garden façade of Schloss Sanssouci. If you stand at the base near the grand fountain, you can imagine the royal landlord, a bright young king, Frederick II., playing the flute, debating with Voltaire and making brilliant conversation at the dinner table. And you might also see the monarch as "Old Fritz," whose back, in his own words, "was bent like a fiddlestick" and had a face "fill of wrinkles."

Le château de Potsdam tel qu'il est connu et apprécié par des millions de visiteurs du monde entier : les six terrasses de vigne s'étalant au pied de la façade frivole du château de Sanssouci donnant sur le jardin. Quiconque se trouve en bas des vignes au bord de la grande fontaine s'imagine être le propriétaire de ces lieux à l'époque d'antan, un jeune roi, Frédéric II, jouant de la flûte, discutant avec Voltaire ou brillant au centre de la tablée.

Potsdam tal como la conocen millones de personas del mundo entero. Las terrazas de viñedos con el encantador jardín del palacio de Sanssouci. Desde abajo, junto a la gran fuente, uno puede imaginarse en su fantasía a Federico II en todo su esplendor, entonando la flauta o discutiendo de grandes temas con Voltaire, o ante una mesa bien repleta de deliciosos manjares. Uno se imagina al monarca, al "Viejo Fritz", con la espalda "más curvada que el arco de una viola" y la cara "llena de arrugas", según sus propias palabras.

Potsdam, così come è conosciuta, apprezzata ed amata da milioni in tutto il mondo. Le sei terrazze del vigneto con il fronte del giardino del castello di Sanssouci, decorato in maniera da fiaba. Chi sta di sotto, presso la grande fontana, vede sicuramente nella sua fantasia il giovane sovrano Federico II, mentre suona il flauto, discute con Voltaire ed intrattiene brillantemente gli ospiti alla tavola rotonda. E certamente intravede il monarca nelle sembianze del vecchio Fritz, con una schiena "curva come un archetto del violino" ed un viso "pieno di rughe".

Poczdam, tak jak go znają, szanują i kochają miliony ludzi na całym świecie: sześć tarasów z winnicami i upojna, zabawna fasada pałacu Sanssouci od strony ogrodu. Kto stoi na dole, przy dużej fontannie, ten widzi w swojej fantazji ówczesnego pana domu, promieniującego, młodego króla, Fryderyka II, który gra na flecie, dyskutuje z Voltairem i błyszczy przy okrągłym stole. W wyobraźni widzi się też monarchę jako Starego Fritza, jak sam o sobie mawiał: z plecami „krzywymi jak smyczek".

Потсдам, каким его знают, ценят и любят миллионы людей во всем мире: шесть терасс с виноградниками и опьяняюще вычурный сад дворца Сан-Суси. Стоящим внизу у большого фонтана наверняка представляется бывший хозяин дворца, молодой ослепительный король Фридрих II, играющий на флейте, беседующий с Вольтером и блистающий остроумием за застольем, и уже постаревший король в облике Старого Фрица: спина - по его собственным словам - «кривая как смычок скрипки» и лицо в «сплошных морщинах».

波茨坦，正如世界各地千千万万的人都知道，珍视，喜爱的那样：六层的葡萄园，让人陶醉的精雕细琢的忘忧宫前院。谁如果站在最低处的大喷泉旁，让他的思绪驰骋，一定能想象出当年的主人，年轻时的国王，爱吹笛子的弗德列二世，或跟伏尔泰（Voltaire）攀谈，或在圆桌会议上大放光芒的模样。他也一定能想见那个年迈的君主 - 老弗瑞茨那用他自己的话来形容"弯曲得象琴弓"的身躯还有那"布满皱纹"的脸。

Gartenansicht von Schloß Sanssouci

„Ja, Majestät, wenn es das Kammergericht in Berlin nicht gäbe." Das soll der damalige Müller von Sanssouci gesagt haben, als Friedrich der Große angeblich die Verlegung der klappernden Mühle plante. Die oft zitierte „historische" Mühle aus der Zeit des großen Preußenkönigs gibt es schon lange nicht mehr. Sie wurde 1791 durch eine Holländermühle ersetzt, die im Kriege abbrannte, inzwischen aber neu entstanden ist. Neben der Mühle die Neuen Kammern, zunächst Orangerie, später Kavalierhaus unter Friedrich II.

"Well, Your Majesty, if it wasn't for the Higher Court in Berlin." That's what the miller of Sanssouci presumably said when Frederick the Great wanted to relocate the man's clattering windmill. But this so-called "historic mill" dating back to the lifetime of the great Prussian king no longer exists. It was replaced by a Dutch mill in 1791 that burned down in World War II but now has been reconstructed. Next to the mill are the Neue Kammern (New Chambers), first an Orangerie, that the Kavaliershaus of Frederick II.

« Oui votre Majesté, s'il n'y avait pas la Cour d'appel à Berlin ». Voici la phrase dite pas l'ancien meunier de Sanssouci lorsque Frédéric le Grand voulut faire déplacer le moulin trop bruyant. Ce moulin « historique » si souvent mentionné à l'époque du grand roi prussien n'existe plus depuis longtemps. Il fut remplacé en 1791 par un moulin hollandais qui fut détruit lors d'un incendie durant la guerre mais a été reconstruit depuis lors. A côté du moulin se trouvent les Nouvelles Chambres qui servirent tout d'abord d'Orangerie, puis sous Frédéric II de Maison des Cavaliers.

"Sí, majestad, si es que en Berlín no existiese la Audiencia Territorial". Así de claro le habló el molinero de Sanssouci al rey Federico el Grande cuando éste pretendía trasladar el ruidoso molino que tanto molestaba al monarca. El molino "histórico" hace ya tiempo que dejó de existir. Fue sustituido en 1791 por un molino holandés que se quemó durante la guerra, pero que ha vuelto a ser reconstruido. Junto al molino las nuevas Cámaras, primero Orangerie más tarde Casa de los Caballeros bajo el gobierno de Federico II.

"Sì, Maestà, per fortuna che c'è la Corte suprema a Berlino." Questo si dice che abbia detto una volta il mugnaio di Sanssouci quando si racconta che Federico il Grande volesse spostare il mulino rumoroso. Il mulino "storico", spesso citato, ormai non esiste più da molto tempo. Esso venne sostituito nel 1794 da un mulino olandese, che s'incendiò durante la guerra, ma nel frattempo è stato ricostruito. Accanto al mulino ci sono le Neuen Kammern, in un primo tempo adibite ad aranciera (Orangerie), in seguito casa dei cortigiani alla corte di Federico II.

„Tak, Wasza Wysokość, gdyby nie było Sądu Apelacyjnego" – tak miał się wyrazić ówczesny młynarz z Sanssouci, kiedy Fryderyk Wielki planował przeniesienie gruchoczącego młyna. Tego często cytowanego, „historycznego" młyna z czasów wielkiego króla Prus już dawno nie ma. W roku 1791 zamieniony na młyn holenderski, spalił się w czasie wojny, ale w międzyczasie został odbudowany. Obok młyna znajdują się Nowe Komnaty, na początku była tu Oranżeria, a później za Fryderyka II, komnaty gościnne (Dom Kawalerski).

«Да, Ваше Величество, но есть в Берлине верховный суд», - так по поверию возразил мельник Сан-Суси Фридриху Великому на его планы перенести шумную мельницу на новое место. Давно уже нет часто цитируемой «исторической» мельницы времен великого прусского короля. В 1791 г. на ее месте была построена голландская мельница, сгоревшая во время войны и позднее восстановленная. А рядом с мельницей находятся Новые Палаты, бывшие первоначально Оранжереей, а позднее, при Фридрихе II, домом кавалеров.

"是，陛下，除非没有柏林的议院法庭。" 据称当弗德列大帝筹划将吧嗒作响的磨坊迁走时，当时的忘忧宫磨坊主曾这样回答他的国王。如今那个常常被人提及的普鲁士时期的 "历史" 磨坊早已不存在了。1791 年建的荷兰磨坊取代了老磨坊，该荷兰磨坊虽在战争中被烧毁，但已重修恢复了原样。除该磨坊外，还有新上下议院、最初的南方植物园以及后来的骑士楼都是弗德列二世执政期间完成的。

Die „historische" Mühle

Fernöstliche Stimmung in Brandenburger Gefilden. Außergewöhnlich und bezaubernd zugleich ist das Chinesische Haus, eine Schöpfung von Johann Gottfried Büring (1764 übergeben). Der Gartenpavillon im Park von Sanssouci wurde von Friedrich dem Großen für kleine Gesellschaften genutzt, auf die ein Mandarin auf der Spitze des bemalten Kupferdaches milde lächelnd herabblickte. Rund um den „Palast der Sonne" hat der Künstler Figuren reich gekleideter Chinesen bei Tee und Musik platziert.

A breeze of Far Eastern flair in Brandenburg. The Chinesische Haus (Chinese House) by Johann Gottfried Büring (1764) is as exceptional as it is enchanting. The garden pavilion in the park of Sanssouci was used by Frederick the Great for smaller parties. A gently smiling Mandarin on the top of the painted copper roof is looking down. Surrounding this "palace of the sun" are richly decorated Chinese statues that once kept the tea drinking guests some nice company.

Le pavillon chinois donne au paysage de Brandebourg un petit air oriental. Cette création de Johann Gottfried Büring (achevée en 1764) est à la fois attrayant et extraordinaire. Bâti dans le parc de Sanssouci, ce pavillon a été utilisé par Frédéric le Grand comme salle de réception pour des petits comités. Le mandarin qui se tient sur la pointe du toit en cuivre peint regarde les visiteurs un sourire discret affiché sur ses lèvres. Tout autour du pavillon l'artiste a placé des statues chinoises.

Ambiente oriental en los lares de Brandeburgo. Sorprendente y al mismo tiempo encantadora es la Casa China, una creación de Johann Gottfried Büring (acabada en 1764). El quiosco del parque de Sanssouci fue utilizado por Federico el Grande para celebrar pequeñas fiestas íntimas, sobre el pináculo del tejado de cobre un mandarín mira hacia abajo con sonrisa complaciente. Alrededor del "Palacio del Sol" el artista ha colocado figuras chinas ricamente ataviadas, tomando té y escuchando música.

Atmosfera dell'Estremo Oriente nel paesaggio del Brandeburgo. Particolarmente suggestiva ed incantevole allo stesso tempo è la Casa cinese del tè, una creazione di Johann Gottfried Büring (ultimata nel 1764). Il padiglione nel parco di Sanssouci veniva utilizzato da Federico il Grande per piccole festenella cui direzione, dalla sommità del tetto in rame dipinto, un mandarino lanciava uno sguardo sorridente. Intorno al "Palazzo del sole", l'artista ha sistemato figure di cinesi, vestiti in maniera elegante, che bevono il tè ed ascoltano musica.

Orientalna atmosfera pośród brandenburgskich łąk. Szczególny i jednocześnie czarujący jest Chiński Domek, dzieło Johanna Gottfireda Bürringa (oddany do użytku 1764). Ten pawilon ogrodowy w parku Sanssouci był wykorzystywany przez Fryderyka Wielkiego w celu kameralnych spotkań. Patronował im ze szczytu kolorowo pomalowanego dachu z miedzi mandaryn, uśmiechając się łaskawie. Wokół „Pałacu Słońca" usytuowane są figury bogato ubranych Chińczyków przy herbacie lub zajmujących sie muzyką.

Дух востока на бранденбургских просторах. Необычным и одновременно обворожительным кажется Китайский домок, творение И. Г. Бюринга (постройки 1764 г.). Садовый павильон в парке Сан-Суси использовался Фридрихом Великим для небольших обществ, которым мягко улыбался мандарин с высоты расписной медной крыши. Вокруг «Дворца солнца» архитектор расставил фигуры богато разодетых китайцев.

勃兰敦堡原野的东方情调。中国茶楼，这个由壁林创作（1764 年交付使用）的建筑很特别，也很迷人。忘忧宫花园中这个亭楼是弗德列大帝举行小型聚会的地方，一个中国古官从绘着图的铜房顶上向来客们微笑。艺术家在这个"太阳之宫"的四周雕琢了许多盛装的中国人饮茶和演奏乐器的塑像。

Das Chinesische Haus

Auf Fernwirkung bedacht ist nach italienischem Vorbild das Orangerie-Schloss nördlich der Maulbeerallee in Potsdam. König Friedrich Wilhelm IV., der Romantiker auf dem Thron, hatte Villen der italienischen Renaissance als Vorbild für den Bau genommen (1851-64). Im Zentrum des Schlosses liegt der über zwei Stockwerke reichende Raffael-Saal mit mehr als 50 Kopien der Werke des italienischen Künstlers. Der Flügel des langgestreckten Gebäudes wird in der kalten Jahreszeit zur Aufnahme exotischer Pflanzen genutzt.

The Orangerie-Schloss was modelled after Italian palaces and carefully designed to make a good impression even from far away. It is located north of Maulbeerallee in Potsdam. King Frederick William IV., the romantic on the throne, had selected some Italian Renaissance villas as models for his palace (1851-64). At the centre of the palace is the two storeys high Raffael-Saal with more than 50 copies of works by Italian artists. In winter, the wing of the fairly long building serves as conservatory for exotic plants.

Au nord de la Maulbeerallee à Potsdam, le palais de l'orangerie a été bâti à l'image des constructions italiennes pour créer une impression de lointain. Le roi Frédéric Guillaume IV, le souverain romantique, avait choisi des villas de style renaissance italienne pour servir de modèle à la construction de son palais (1851-64). Dans le centre du château se trouve la salle de Raphaël qui occupe deux étages et dans laquelle peuvent être admirées plus de 50 copies d'œuvres de l'artiste italien.

Como un espejismo, imitando a los maestros italianos se encuentra el palacio Orangerie al norte de la Maulbeerallee (Avenida de los Morales) de Potsdam. Federico Guillermo IV, el romántico, se inspiró en las nobles villas del renacimiento italiano para su construcción (1851-64). En el centro del palacio hay dos plantas dedicadas a Rafael que exhiben más de 50 copias del genio italiano. El ala del edificio se utiliza en los meses de invierno para albergar plantas exóticas que soportan mal la intemperie.

Il palazzo dell'Orangerie, sul lato nord della Maulbeerallee (viale dei gelsi) a Potsdam, cerca di creare un effetto di distanza. Il monarca Federico Guglielmo IV, il re romantico, aveva preso le ville del Rinascimento italiano come modello per questa costruzione (1851-64). Nel centro della residenza si trova la Sala di Raffaello che si estende attraverso due piani, con più di 50 copie delle opere dell'artista italiano. D'inverno, l'ala di questo ampio edificio viene utilizzata per accogliere piante esotiche.

Cała koncepcja Oranżerii, położonej na północ od alei Maulbeerenallee, była tak przemyślana, aby wywoływać jak największe wrażenie patrzących na nią z daleka. Przy budowie Oranżerii (1851-64) romantyczny król Fryderyk Wilhelm IV, wzorował się na willach włoskiego renesansu. W centralnej części zamku znajduje się wysoka na dwa piętra Sala Rafaela, a w niej ponad 50 kopi dzieł włoskiego artysty. W jednym ze skrzydeł wydłużonego gmachu przechowywane są w zimie egzotyczne rośliny.

На взгляд издалека рассчитана Оранжерея, находящаяся в Потсдаме к северу от улицы Маульбералле. Король Фридрих Вильгельм IV, называемый романтиком на троне, построил этот дворец по образцу итальянских вилл эпохи Ренессанса (1851-64 гг.). В центре дворца размещается на двух этажах зал Рафаэля, где находятся более 50 копий полотен итальянского мастера. В боковом флигеле здания хранятся в холодное время года экзотические растения.

波茨坦桑树道北边的南方植物宫殿（das Orangerie-Schloss）是模仿意大利风格而建成的，它的设计者从开始即已考虑到了其长远的影响和价值。弗德列威廉四世（Friedrich Wilhelm IV），那个浪漫的国王用意大利文艺复新时期的别墅为样板（ 1851-64 年间）建成这座宫殿。这个宫殿的中间是超过两层高的拉菲尔厅（Raffael-Saal），里面存放了50幅该意大利艺术家的绘画复制品。植物园的长廊用于冷天时存放珍奇植物。

Das Orangerie-Schloss

Gelbe Blätter in Teich verraten die Jahreszeit – Herbst am Schloß Charlottenhof. Auf einer Säule steht die Büste von Prinzessin Elisabeth, Gemahlin von Kronprinz Friedrich Wilhelm (IV.). Das anmutige Schloß hatte Schinkel durch den Umbau eines Gutshauses als Sommersitz für das Kronprinzen- und spätere Königspaar umgebaut (vollendet 1829). Den Entwurf für den angrenzenden Landschaftsgarten zeichnete Preußens großer Gartenkünstler Lenné, der die Berliner und Potsdamer Landschaft entscheidend prägte.

Yellow leafs in this lovely, quaint pond tell the story of fall at the romantic Schloss Charlottenhof. On a column is the bust of Princess Elizabeth, the wife of crown prince Frederick William (IV.). The charming palace is a remodelled farm mansion, which Schinkel turned into the summer residence for the crown prince, the later royal couple (1829). The design for the adjoining landscaped garden was envisioned by Prussia's great and famous garden architect Lenné.

Les feuilles jaunes que l'on découvre sur l'eau de l'étang dénoncent la saison – c'est dans un cadre automnal que l'on découvre le château de Charlottenburg. Sur un pilier se trouve un buste de la princesse Elisabeth, l'épouse du prince héritier Frédéric Guillaume IV. Ce château gracieux qui était au départ une maison domaniale, a été modifié par Schinkel pour en faire une résidence d'été pour le prince héritier, et plus tard pour le couple royal. Les travaux ont été achevés en 1829.

La hojarasca del estanque delata la época del año: el colorido otoño en el palacio Charlotenhof. Sobre una columna se encuentra el busto de la princesa Elisabeth, esposa del príncipe heredero Federico Guillermo IV. Este palacio fue una de las logradas obras de Schinkel que transformó una casa solariega en residencia de verano del príncipe y que incluso sirvió más tarde como mansión de la pareja real (acabado en 1829). La creación paisajística colindante y el jardín fueron idea del gran jardinero Prusiano Lenné.

Foglie ingiallite nello stagno lasciano intuire la stagione: autunno nel castello Charlottenhof. Su una colonna si può ammirare il busto della principessa Elisabetta, moglie del principe ereditario Federico Guglielmo IV. L'architetto Schinkel aveva rifatto l'elegante castello, ristrutturando una precedente casa padronale in residenza estiva per il principe ereditario e la futura coppia reale (portò a termine la sua opera nel 1829). Lennè, il grande architetto prussiano del paesaggio, disegnò il progetto per il giardino adiaciente.

Żółte liście w stawie zdradzają porę roku – to jesień przy pałacu Charlottenhof. Na kolumnie widzimy popiersie księżniczki Elżbiety, żony księcia Fryderyka Wilhelma IV. Uroczliwy pałacyk przebudowany został w 1829 roku przez Schinkela z małego dworku na letnią siedzibę pary książęcej i późniejszej pary królewskiej. Projektem sąsiadującego parku pejzażowego zajął się największy „artysta-ogrodnik" Prus – Peter Joseph Lenné, który miał znaczący wpływ na berliński i poczdamski pejzaż.

Желтые листья в пруду выдают время года - осень во дворце Шарлоттенхоф. На колонне стоит бюст принцессы Елизабет, супруги кронпринца Фридриха Вильгельма (IV). В 1829 г. Шинкель превратил усадебный дом в изящный дворец, служивший летней резиденцией чете кронпринца и будущей королевской паре. Прилегающий пейзажный парк разбит по проекту великого прусского садового архитектора Ленне.

池塘里的黄叶悄悄地泄漏了季节　夏洛腾园宫（Schloß Charlottenhof）的秋天。一根立柱上塑着伊丽萨白王妃的头像，她是太子弗德列威廉（四世）的妻子。申克尔将一座旧庄园改建成这个优雅的太子，也即使以后的国王夫妇的夏宫　（完成于1829年）。附近的风景公园是著名的普鲁士园林设计师冷勒的作品。

Am Schloß Charlottenhof

Das Neue Palais am westlichen Ende des Parks von Sanssouci entstand nach dem Siebenjährigen Krieg und sollte Europa zeigen, dass Preußen noch zu einem gewaltigen finanziellen Kraftakt in der Lage war. König Friedrich II. nannte das 220 Meter lange und mit 400 Plastiken überreich geschmückte Gebäude selbstkritisch eine „Fanfaronnade". Im Innern zählen der Grottensaal, der Marmorsaal, das Konzertzimmer und das verspielte Schloßtheater zu den herausragenden Innenräumen des 18. Jahrhunderts in Deutschland.

The Neue Palais (New Palace) at the western edge of the park of Sanssouci was created after the Seven Years' War and was designed to show Europe that Prussia still had the financial means to realize great projects. King Frederick II. called the 220 metres long building, sumptuously decorated with more than 400 sculptures, "Fanfaronnade." Inside, the grotto hall, marble hall, the concert chamber and the playful palace theatre are considered to show some of Germany's most outstanding interior designs of the 18th century.

Le nouveau palais a été bâti à l'extrémité occidentale du parc de Sanssouci durant la guerre de Sept Ans et devait prouver à l'Europe que la Prusse avait encore les moyens de faire face à des dépenses si importantes. Le roi Frédéric II nommait de façon autocritique « Fanfaronnade » ce bâtiment de 220 mètres de long et richement orné de 400 statues. A l'intérieur du château, parmi les salles les plus impressionnantes se trouvent la salle des grottes, la salle de marbre, la salle des concerts et le théâtre du château de style très frivole.

El palacio al fondo del parque de Sanssouci surgió tras la guerra de los siete años y trataba de demostrar que Prusia tenía aún poder financiero como para acometer obras de gran envergadura. El rey Federico II cuando vio el edificio de 220 metros ornamentado por 400 esculturas dijo ejerciendo una severa autocrítica: "¡Vaya fanfarronada!" Sus salas llevan pomposos nombres: sala de las grutas, sala de los mármoles, sala de conciertos y el recoleto teatro de palacio, pasan por ser uno de los más destacados interiores del siglo XVIII en Alemania.

Il Neues Palais, all'estremità occidentale del parco di Sanssouci, venne costruito dopo la guerra dei sette anni e doveva dimostrare all'Europa che la Prussia era ancora in grado di effettuare un'imponente sforzo finanziario. Il re Federico II chiamò l'edificio, lungo 220 metri e riccamente decorato da 400 sculture, con spirito autocritico una "fanfaronata". Negli interni, la sala delle grotte, la sala di marmo, la sala dei concerti ed lo spensierato teatro del castello sono considerati come i più notevoli ambienti interni del XVIII secolo in Germania.

Nowy Pałac na zachodnim końcu parku Sanssouci powstał po wojnie siedmioletniej i miał pokazać Europie, że Prusy zdolne są jeszcze do takiego potężnego, finansowego wysiłku. Król Fryderyk II nazywał samokrytycznie ten potężny gmach o długości 220 metrów, przebogato udekorowany 400 figurami, „fanfaronadą". Sala-Grota, Sala Marmurowa, Sala Konzertowa jak również zabawny Teatr Pałacowy wewnętrz pałacu zaliczane są do wybitnych przykładów wystroju wnętrz epoki XVIII wieku.

Новый дворец, построенный после Семилетней войны в западной части парка Сан-Суси, должен был показать Европе, что Пруссия все еще богата и сильна. Король Фридрих II самокритично называл «фанфаронством» этот дворец длиной 220 метров, обильно украшенный 400 скульптурами. Гротовый и мраморный залы, концертная комната и вычурный дворцовый театр считаются наиболее известными залами Германии 18-го века.

七年战争后落成的新宫殿（Das Neue Palais）位于忘忧宫花园的西端，它的建成旨在向欧洲显示普鲁士在战后仍具有雄厚的经济实力。国王弗德列二世自我批评地称这座 220 米长用 400 个雕塑过于奢华地装饰的建筑为"浮夸之物"。内部的岩石厅，大理石厅，音乐厅以及装饰精致的王宫剧场均属德国 18 世纪的杰出建筑。

Das Neue Palais

Bereits zu Lebzeiten Friedrichs II. gehörte die Bildergalerie, die er von 1755-63 durch Johann Gottfried Büring errichten ließ, zu den berühmtesten Kunstschätzen in Potsdam-Sanssouci. Die Gemälde, vornehmlich Werke der flämischen und italienischen Spätrenaissance-Malerei sowie Werke des Barocks, sind eingebettet in eine festlich-strahlende Innenausstattung mit weißen Marmorsäulen, einer Decke mit vergoldeten Ornamenten, mit Wänden im frischen Grün und einem Fußboden mit hellem Rhombenmuster.

Even at the lifetime of Frederick II., the Bildergalerie (Art Gallery), which was built in 1755-63 by Johann Gottfried Büring, was considered to be one of the most famous art treasures in Potsdam-Sanssouci. The paintings, primarily works by Flemish and Italian artists from the late Renaissance as well Baroque paintings, are shown in a festive, bright interior with white marble columns, a ceiling with golden ornaments, walls painted a fresh green and a floor with a shining rhombus pattern.

Sous le règne de Frédéric II, la Galerie de peintures du château de Sanssouci qu'il a faite construire entre 1755 et 1763 par Johann Gottfried Büring comptait déjà parmi les trésors artistiques les plus connus de Potsdam-Sanssouci. Les peintures, qui sont principalement des œuvres flamandes et italiennes de la renaissance tardive, sont exposées dans un cadre intérieur rayonnant avec des colonnes en marbre, un plafond aux ornements en or, des murs tendus de vert et un sol clair aux dessins géométriques.

Todavía en vida de Federico II, la Galería de Pinturas que él mismo mandó construir a Johann Gottfried Büring entre 1755 y 63, era uno de los famosos fondos artísticos de Postdam-Sanssouci. Los cuadros pertenecen a la época renacentista, renacimiento tardío italiano y flamenco con colecciones del barroco; están inmersos en un preciosista ambiente palaciego, rodeados de columnas de mármol blanco y techos dorados sobre paredes de verdes tonalidades y claros suelos geométricos en rombos.

Già ai tempi in cui Federico II era ancora in vita, la Pinacoteca che lui aveva fatto costruire tra il 1755 ed 1763 da parte di Johann Gottfried Büring era considerata uno dei più famosi tesori d'arte situati a Potsdam- Sanssouci. I dipinti, soprattutto opere della pittura del tardo Rinasci-mento fiammingo ed italiano nonché del barocco, sono inseriti in un festoso e scintillante arreda-mento interno con colonne in marmo bianco, un soffitto con decorazioni dorate e pareti di color verde.

Galeria Malarstwa, założona w latach 1755-1763 przez Johanna Gottfrieda Büringa, należała już za życia Fryderyka II do najwspanialszych zbiorów sztuki w Poczdamie-Sanssouci. Do zbiorów należą przede wszystkim dzieła malarstwa flamandzkiego i włoskiego epoki późnego renesansu i baroku. W pałacu znajdują się one wśród przebogatego wyposażenia wnętrz, między białymi, marmurowymi kolumnami, sufitami z pozłacanymi ornamentami, zielonymi ścianami czy posadzkami z jasnymi rombowymi wzorami.

Картинная галерея, созданная в 1755-63 гг. по указу Фридриха II архитектором И. Г. Бюрингом, еще при жизни короля относилась к самым знаменитым сокровищницам Сан-Суси. Картины в основном фламандских и итальянских мастеров позднего Ренессанса и барокко утопают в торжественном интерьере среди белых мраморных колонн, позолоченных орнаментов потолков, сочной зелени стен и светлого пола с ромбовидным рисунком.

弗德列二世还健在的时候，1755-63 年间他让壁林（Johann Gottfried Büring）建成的画廊在当时就已属于波茨坦忘忧宫最著名的艺术珍宝之一。绘画作品，尤其是佛兰德和意大利文艺复新晚期以及巴洛克风格的作品展示在有白色大理石柱、镀金雕花屋顶、绿墙和浅色菱形地砖的华丽的大厅内。

Die Bildergalerie

Eine strahlend leuchtende Sonne schmückt die beiden Gitterpavillons zu beiden Seiten von Schloß Sanssouci. Damit hat der Künstler eine besondere Symbolik dargestellt: Goldene Sonnen standen für Menschlichkeit und Aufklärung, Begriffe, denen sich der Hausherr des Schlosses, Friedrich II., besonders verpflichtet fühlte. Sonnen nehmen auch bezug auf die Freimaurer-Bewegung. Friedrich der Große war Logenbruder ebenso wie Johann Wolfgang von Goethe und der Philosoph Johann Gottlieb Fichte.

A bright shining sun is adorning the two metal lattice pavilions on both sides of Schloss Sanssouci. The artist wanted to underline a special symbolism: The golden suns were symbols for humaneness and enlightenment. These were two ideas particularly important to Frederick the Great. And the suns also give a hint to the freemasons, as Frederick the Great was a member of the freemasons himself – just like poet Johann Wolfgang von Goethe and philosopher Johann Gottlieb Fichte.

Un soleil brillant fait ressortir la beauté de ces deux pavillons en fer forgé se trouvant de chaque côté du château de Sanssouci. Cette représentation symbolique est voulue par l'artiste: le soleil brillant représente l'humanité et la lumière, deux termes qui étaient de première importance pour Frédéric II, le maître d'œuvre du château. Les soleils se réfèrent aussi au mouvement de franc-maçonnerie dont Frédéric le Grand était membre tout comme Johann Wolfgang von Goethe et le philosophe Gottlieb Fichte.

Un sol radiante adorna los dos quioscos de enrejado artístico a ambos lados del palacio de Sanssouci. Con ello el artista ha querido simbolizar los soles de oro que significaban Humanismo e Ilustración, conceptos que para el señor de palacio, Federico II, significaban algo a lo que él se sentía obligado. Los soles tienen también estrecha relación con el movimiento masónico. Federico el Grande era masón al igual que Johann Wolfgang von Goethe y el filósofo Johann Gottlieb Fichte.

Un sole splendende e luminoso abbellisce i padiglioni in ferro battuto su entrambi i lati del castello di Sanssouci. L'artista ha così rappresentato un particolare simbolismo: i soli dorati simboleggiano l'Umanità e l'Illuminismo, temi a cui Federico II, padrone del castello, si sentiva particolarmente obbligato. I soli si riferiscono anche al movimento della massoneria di cui Federico il Grande faceva parte, così come Johann Wolfgang von Goethe e Johann Gottlieb Fichte.

Promienne, jasne słońce ozdabia oba pawilony ogrodowe z dwóch stron Pałacu Sanssouci. W ten sposób artysta chciał przedstawić szczególną symbolikę: złote słońca były wyrazem humanizmu i oświecenia, a tym pojęciom właściciel pałacu, Fryderyk II, czuł się wyjątkowo zobowiązany. Słońca odnoszą się też do ruchu masonów. Fryderyk Wielki był wolnomularzem tak jak i Johann Wolfgang von Goethe i filozof Johann Gottlieb Fichte.

Лучезарное солнце украшает две ажурные железные беседки по обеим сторонам дворца Сан-Суси. Так художник изобразил особую символику: золотое солнце означало человечность и просвещение, понятия, которым служил хозяин дворца, Фридрих II. Солнце имеет отношение и к масонскому движению. Фридрих Великий был членом масонской ложи, как и Иоган Вольфганг фон Гёте и философ Иоган Готлиб Фихте.

金光闪闪的太阳点缀着忘忧宫两侧各一个的亭栏式园亭。艺术家用它们表现了特殊意义：金太阳象征人性和启蒙，忘忧宫主人弗德列二世深感自己对这两层意义的推广负有强烈的责任。太阳也隐喻共济运动（Freimaurer-Bewegung）。跟歌德以及哲学家费希特一样，弗德列大帝曾是共济会会员。

Die Goldene Sonne am Gitterpavillon

Fotos: Pavel Šticha, DGPh

Text: Kurt Geisler

Übersetzungen:
Englisch: Jürgen Scheunemann
Französisch: Christine Neumann
Spanisch: Domingo Cardona
Italienisch: Dr. Mauro Grassi
Polnisch: Robert Kocon
Russisch: Tatjana Alexandrova
Chinesisch: Tong Piskol

Bildredaktion: Dr. Ladislav Šolc
Gestaltung Umschlag: Helmut Vollé
Gestaltung Inhalt: Dr. Ladislav Šolc
Satz: Roland Fröhlich
Scan und Druckvorstufe: Print Works Berlin GmbH
Druckerei: DMP Digitaldruck GmbH, Berlin
Buchbinder: Ghaddar & Schulz GmbH

Printed in Berlin.

Edition P. & P. Šticha, Berlin.
Tel. 030 / 3 01 65 66